A bruxa
de Portobello

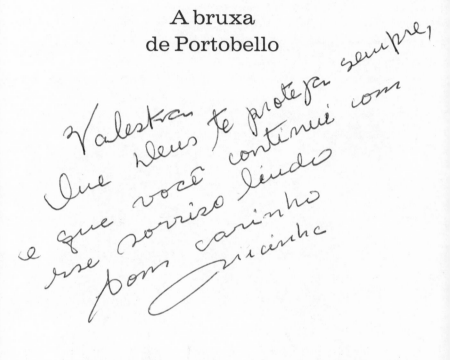

Valeska,
Que Deus te proteja sempre,
e que você continue com
esse sorriso lindo
Com carinho
Juçinha

Paulo Coelho

A bruxa
de Portobello

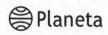 Planeta

Copyrigth © Paulo Coelho, 2006

www.paulocoelho.com

Esta edição foi publicada com o consentimento
de Sant Jordi Asociados Agencia Literaria S. L.,
Barcelona (Espanha)

Não é permitida a venda deste exemplar fora
do território brasileiro.

Projeto de capa: Lucrecia Demaestri / Helena Rosa-Trias
Imagem de capa: © Jerome Tisne / Getty Images
Tratamento digital da imagem: Lucrecia Demaestri
Foto do autor: 2004, Frederic Charmeux
Projeto gráfico de miolo: Diego Valiña
Produção editorial, diagramação e adaptação de projeto: 2 Estúdio Gráfico
Revisão de textos: Margô Negro

Dados Internacionais de Catalogação na Publicação (CIP)
(Câmara Brasileira do Livro, SP, Brasil)

Coelho, Paulo
  A bruxa de Portobello / Paulo Coelho. – São Paulo :
Editora Planeta do Brasil, 2006.

  ISBN 85-7665-217-X

  1. Romance brasileiro I. Título.

06-6402   CDD-869.93

Índice para catálogo sistemático:
1. Romance : Literatura brasileira 869.93

2006
Todos os direitos desta edição reservados à
Editora Planeta do Brasil Ltda.
Avenida Francisco Matarazzo, 1500
3º andar – Conj. 32B – Edifício New York
05001-100 – São Paulo – SP
vendas@editoraplaneta.com.br

Para S.F.X., sol que espalhou luz e calor
por onde passou, e um exemplo para aqueles
que pensam além dos seus horizontes.

*Oh, Maria, concebida sem pecado, rogai por nós
que recorremos a Vós. Amém.*

[33]Ninguém acende uma lâmpada e a põe em lugar oculto ou debaixo da amassadeira, mas sobre um candeeiro, para alumiar os que entram.

LUCAS, 11, 33

Antes que todos estes depoimentos saíssem de minha mesa de trabalho e seguissem o destino que eu havia determinado para eles, pensei em transformá-los em um livro tradicional, onde uma história real é contada depois de exaustiva pesquisa.

Comecei a ler uma série de biografias que pudessem me ajudar a escrevê-lo, e entendi uma coisa: a opinião do autor a respeito do personagem principal termina influenciando o resultado das pesquisas. Como minha intenção não era exatamente dizer o que penso, mas mostrar como a história da "bruxa de Portobello" tinha sido vista por seus principais personagens, terminei abandonando a idéia do livro; achei melhor simplesmente transcrever aquilo que me tinha sido contado.

Heron Ryan, 44 anos, jornalista

Ninguém acende uma lâmpada para escondê-la atrás da porta: o objetivo da luz é trazer mais luz à sua volta, abrir os olhos, mostrar as maravilhas ao redor.

Ninguém oferece em sacrifício a coisa mais importante que possui: o amor.

Ninguém entrega seus sonhos nas mãos daqueles que podem destruí-lo.

Exceto Athena.

Muito tempo depois de sua morte, sua antiga mestra me pediu que a acompanhasse até a cidade de Prestopans, na Escócia. Ali, aproveitando-se de uma lei feudal que foi abolida no mês seguinte, a cidade concedeu o perdão oficial a 81 pessoas – e seus gatos – executadas por prática de bruxaria entre os séculos XVI e XVII.

Segundo a porta-voz oficial dos Barões de Prestoungrange e Dolphinstoun, "a maioria tinha sido condenada sem nenhuma evidência concreta, com base apenas nas testemunhas de acusação, que declaravam sentir a presença de espíritos malignos".

Não vale a pena lembrar de novo todos os excessos da Inquisição, com suas câmaras de tortura e suas fogueiras em chamas de ódio e vingança. Mas, no caminho, Edda repetiu várias vezes que havia algo neste gesto que ela não podia aceitar: a cidade, e o 14° Barão de Prestoungrange & Dolphinstoun, estavam "concedendo perdão" às pessoas executadas brutalmente.

– Estamos em pleno século XXI, e os descendentes dos verdadeiros criminosos, aqueles que mataram inocentes, ainda se julgam no direito de "perdoar". Você sabe, Heron.

Eu sabia. Uma nova caça às bruxas começa a ganhar terreno; desta vez a arma não é mais o ferro em brasa, mas a ironia ou a repressão. Todo aquele que descobre um dom por acaso e ousa falar de sua capacidade, passa a ser visto com desconfiança. E geralmente o marido, esposa, pai, filho, seja lá quem for, ao invés de orgulhar-se, termina proibindo qualquer menção ao assunto, com medo de expor sua família ao ridículo.

Antes de conhecer Athena, achava que tudo não passava de uma forma desonesta de explorar a desesperança do ser humano. Minha viagem à Transilvânia para o documentário sobre vampiros era também uma maneira de mostrar como as pessoas são facilmente enganadas; certas crendices permanecem no imaginário do ser humano, por mais absurdas que possam parecer, e terminam sendo usadas por gente sem escrúpulo. Quando visitei o castelo de Drácula, reconstruído apenas para dar aos turistas a sensação de que estavam em um lugar especial, fui procurado por um funcionário do governo; insinuou que eu terminaria recebendo um presente bastante "significativo" (segundo suas palavras) quando o filme fosse exibido na BBC. Para esse funcionário, eu estava ajudando a propagar a importância do mito, e isso merecia ser recompensado generosamente.

Um dos guias disse que o número de visitantes aumentava a cada ano, e que qualquer referência ao lugar seria positiva, mesmo aquelas afirmando que o castelo era falso, que Vlad Dracul era um personagem histórico sem qualquer referência ao mito, e tudo não passava do delírio de um irlandês (*N.R.: Bram Stoker*) que jamais visitara a região.

Naquele exato momento, entendi que, por mais rigoroso que pudesse ser com os fatos, eu estava involuntariamente colaborando com a mentira; mesmo que a idéia do meu roteiro fosse justamente desmistificar o local, as pessoas acreditam no que desejam; o guia estava certo, no fundo estaria colaborando para fazer mais propaganda. Desisti imediatamente do projeto, mesmo tendo investido uma quantia razoável na viagem e nas pesquisas.

Mas a ida à Transilvânia terminaria tendo um impacto gigantesco em minha vida: conheci Athena, quando buscava sua mãe. O destino, este misterioso, implacável destino, nos colocou frente a frente em um insignificante *hall* de um hotel mais insignificante ainda. Fui testemunha de sua primeira conversa com Deidre – ou Edda, como gosta de ser chamada. Assisti, como se fosse espectador de mim mesmo, à luta inútil que meu coração travou para não deixar-me seduzir por uma mulher que não pertencia ao meu mundo. Aplaudi quando a razão perdeu a batalha, e a única alternativa que me restou foi entregar-me, aceitar que estava apaixonado.

E esta paixão me levou a ver rituais que nunca imaginei existirem, duas materializações, transes. Achando que estava cego pelo amor, duvidei de tudo; a dúvida, ao invés de me paralisar, me empurrou em direção a oceanos que eu não podia admitir que existiam. Foi esta força que nos momentos mais difíceis me permitiu enfrentar o cinismo de outros amigos jornalistas, e escrever a respeito de Athena e de seu trabalho. E como o amor continua vivo, embora Athena já esteja morta, a força continua presente, mas tudo que desejo é esquecer o que vi e aprendi. Só podia navegar neste mundo segurando as mãos de Athena.

Estes eram os seus jardins, os seus rios, as suas montanhas. Agora que ela partiu, preciso que tudo volte rapidamente a ser como antes; vou concentrar-me mais nos problemas do trânsito, na política exterior da Grã-Bretanha, na maneira como administram nossos impostos. Quero tornar a pensar que o mundo da magia é apenas um truque bem elaborado. Que as pessoas são supersticiosas. Que as coisas que a ciência não pode explicar, não têm o direito de existir.

Quando as reuniões em Portobello começaram a sair de controle, foram inúmeras as discussões sobre o seu comportamento, embora hoje em dia me alegre que ela jamais me tenha escutado. Se existe algum consolo na tragédia de perder alguém que amamos tanto, é a esperança, sempre necessária, de que talvez tenha sido melhor assim.

Eu acordo e durmo com esta certeza; foi melhor que Athena tivesse partido antes de descer aos infernos desta terra. Jamais tornaria a conseguir paz de espírito desde os eventos que a caracterizaram como "a bruxa de Portobello". O resto de sua vida seria um confronto amargo dos seus sonhos pessoais com a realidade coletiva. Conhecendo sua natureza, iria lutar até o final, gastar sua energia e sua alegria tentando provar algo que ninguém, absolutamente ninguém, está disposto a acreditar.

Quem sabe, procurou a morte como um náufrago procura uma ilha. Deve ter estado em muitas estações de metrô de madrugada, aguardando assaltantes que não vinham. Caminhou pelos bairros mais perigosos de Londres, em busca de um assassino que não se mostrava. Provocou a ira dos fortes, que não conseguiram manifestar a raiva.

Até que conseguiu ser brutalmente assassinada. Mas, no final das contas, quantos de nós escapamos de ver as coisas importantes de nossas vidas desaparecerem de uma hora para a outra? Não me refiro aqui apenas a pessoas, mas também aos nossos ideais e sonhos: podemos resistir um dia, uma semana, alguns anos, mas estamos sempre condenados a perder. Nosso corpo continua vivo, mas a alma termina recebendo um golpe mortal cedo ou tarde. Um crime perfeito, onde não sabemos quem assassinou nossa alegria, quais os motivos que provocaram isso, e onde estão os culpados.

E esses culpados, que não dizem seus nomes, será que têm consciência de seus gestos? Penso que não, porque eles também são vítimas da realidade que criaram – embora sejam depressivos, arrogantes, impotentes e poderosos.

Não entendem e não entenderiam nunca o mundo de Athena. Ainda bem que estou dizendo desta maneira: o mundo de Athena. Estou finalmente aceitando que estava ali de passagem, como um favor, como alguém que está em um lindo palácio, comendo o que existe de melhor, consciente que aquilo é apenas uma festa, o palácio não é seu, a comida não foi comprada com seu dinheiro, e em um dado momento as luzes se apagam, os donos vão dormir, os empregados voltam para seus quartos, a porta se fecha, e de novo estamos na rua, esperando um táxi ou um ônibus, de volta à mediocridade do seu dia-a-dia.

Estou voltando. Melhor dizendo: uma parte de mim está voltando para este mundo em que só faz sentido aquilo que vemos, tocamos, e podemos explicar. Quero de novo

as multas por alta velocidade, as pessoas discutindo nos cai-
xas de banco, as eternas reclamações sobre o tempo, os filmes de terror e as corridas de Fórmula 1. Esse é o universo que terei que conviver pelo resto de meus dias; vou casar,
ter filhos, e o passado será uma lembrança distante, que no
final me fará perguntar durante o dia: como pude ser tão
cego, como pude ser tão ingênuo?

Sei também que, durante a noite, outra parte de mim fi-
cará vagando no espaço, em contato com coisas que são tão
reais como o maço de cigarros e o copo de gim que tenho
na minha frente. Minha alma dançará com a alma de
Athena, eu estarei com ela enquanto durmo, acordarei
suando, irei até a cozinha beber um copo de água, enten-
derei que para combater fantasmas é preciso usar coisas que
não fazem parte da realidade. Então, seguindo conselhos de
minha avó, colocarei uma tesoura aberta na mesa-de-cabe-
ceira, e assim cortarei a continuação do sonho.

No dia seguinte, olharei para a tesoura com certo arrependimento. Mas preciso adaptar-me de novo a este mundo, ou termino ficando louco.

Andrea McCain, 32 anos, atriz de teatro

"Ninguém pode manipular ninguém. Em uma relação, os dois sabem o que estão fazendo, mesmo que um deles venha depois queixar-se que foi usado."

Isso Athena dizia – mas agia de maneira oposta, porque fui usada e manipulada sem qualquer consideração pelos meus sentimentos. A coisa fica ainda mais séria quando estamos falando de magia; afinal de contas era minha mestra, encarregada de transmitir os mistérios sagrados, despertar da força desconhecida que todos nós possuímos. Quando nos aventuramos neste mar desconhecido, confiamos cegamente naqueles que nos guiam – acreditando que sabem mais que nós.

Pois eu posso garantir: não sabem. Nem Athena, nem Edda, nem as pessoas que terminei conhecendo por causa delas. Ela me dizia que estava aprendendo à medida que ensinava, e, embora eu no início me recusasse a acreditar, pude mais tarde me convencer que talvez pudesse ser verdade, terminei descobrindo que era mais uma de suas muitas maneiras de fazer com que abaixássemos nossas guardas, e nos entregássemos ao seu encanto.

As pessoas que estão na busca espiritual não pensam: querem resultados. Querem sentir-se poderosas, longe das massas anônimas. Querem ser especiais. Athena brincava com sentimentos alheios de maneira aterradora.

Me parece que, em seu passado, teve uma profunda admiração por Santa Teresa de Lisieux. A religião católica não me interessa, mas, pelo que ouvi, Teresa tinha uma espécie de comunhão mística e física com Deus. Athena mencionou certa vez que gostaria que seu destino fosse parecido com o dela: neste caso devia ter entrado para um convento, dedicado sua vida à contemplação ou ao serviço dos pobres. Seria muito mais útil ao mundo, e muito menos perigoso que induzir pessoas, através de músicas e de rituais, a uma espécie de intoxicação onde podemos entrar em contato com o melhor, mas também com o pior de nós mesmos.

Eu a procurei em busca de uma resposta para o sentido da minha vida – embora tivesse dissimulado isso em nosso primeiro encontro. Devia ter percebido desde o início que Athena não estava muito interessada nisso; queria viver, dançar, fazer amor, viajar, reunir gente à sua volta para mostrar como era sábia, exibir seus dons, provocar os vizinhos, aproveitar tudo que temos de mais profano – mesmo que procurasse dar um verniz espiritual à sua busca.

Cada vez que nos encontrávamos, para cerimônias mágicas ou para ir a um bar, eu sentia seu poder. Era quase capaz de tocá-lo, de tão forte que se manifestava. No início fiquei fascinada, queria ser como ela. Mas um dia, em um bar, ela começou a comentar sobre o "Terceiro Rito", que envolve a sexualidade. Fez isso na frente do meu namorado. Seu pretexto era ensinar-me. Seu objetivo, na minha opinião, era seduzir o homem que amava.

E, claro, terminou conseguindo.

Não é bom falar mal de pessoas que passaram desta vida para o plano astral. Athena não terá que prestar contas a mim, mas a todas aquelas forças que, em vez de canalizar para o bem da humanidade e para sua própria elevação espiritual, usou apenas em benefício próprio.

E o que é pior: tudo que começamos juntos podia ter dado certo, se não fosse sua compulsão para o exibicionismo. Bastava ter agido de maneira mais discreta, e hoje estaríamos cumprindo juntas a missão que nos foi confiada. Mas não conseguia controlar-se, julgava-se dona da verdade, ca-

paz de ultrapassar todas as barreiras usando apenas seu poder de sedução.

Qual foi o resultado? Eu fiquei sozinha. E não posso mais
abandonar o trabalho no meio – terei que ir até o final, embora me sinta às vezes fraca, e quase sempre desanimada.

Não me surpreende que sua vida tenha terminado desta maneira: ela vivia flertando com o perigo. Dizem que as
pessoas extrovertidas são mais infelizes que as introvertidas,
e precisam compensar isso mostrando a si mesmas que estão contentes, alegres, de bem com a vida; pelo menos no
caso dela, este comentário é absolutamente correto.

Athena era consciente do seu carisma, e fez sofrer todos
aqueles que a amaram.

Inclusive eu.

Deidre O'Neill, 37 anos, médica, conhecida como Edda

Se um homem que não conhecemos telefona hoje, conversa um pouco, não insinua nada, não diz nada de especial, mas mesmo assim nos deu uma atenção que raramente recebemos, somos capazes de ir para a cama aquela noite relativamente apaixonadas. Somos assim, e não há nada de errado nisso – é da natureza feminina abrir-se para o amor com grande facilidade.

Foi esse amor que me abriu para o encontro com a Mãe quando tinha 19 anos. Athena também tinha esta idade quando entrou pela primeira vez em transe através da dança. Mas essa era a única coisa que tínhamos em comum – a idade de nossa iniciação.

Em tudo o mais éramos total e profundamente distintas, principalmente em nossa maneira de lidar com os outros. Como sua mestra, eu dei sempre o melhor de mim, de modo que pudesse organizar sua busca interna. Como sua amiga – embora não tenha certeza de que este sentimento era correspondido –, procurei alertá-la para o fato de que o mundo ainda não está pronto para as transformações que ela queria provocar. Lembro-me que perdi algumas noites de sono até tomar a decisão de permitir que agisse com total liberdade, seguindo apenas o que seu coração mandava.

Seu grande problema era ser a mulher do século XXII, vivendo apenas no século XXI – e permitindo que todos vissem isso. Pagou um preço? Sem dúvida. Mas teria pago um preço muito maior se tivesse reprimido sua exuberância. Seria amarga, frustrada, sempre preocupada com "o que os outros vão pensar", sempre dizendo "deixa eu

resolver antes estes assuntos, depois me dedico ao meu sonho", sempre reclamando que "as condições ideais não chegam nunca".

Todos buscam um mestre perfeito; acontece que os mestres são humanos, embora seus ensinamentos possam ser di-
vinos – e aí está algo que as pessoas custam a aceitar. Não
confundir o professor com a aula, o ritual com o êxtase, o
transmissor do símbolo com o símbolo em si mesmo. A
Tradição está ligada ao encontro com as forças da vida, e
não com as pessoas que transmitem isso. Mas somos fracos:
pedimos que a Mãe nos envie guias, quando ela envia apenas os sinais da estrada que precisamos percorrer.

Ai daqueles que buscam pastores, ao invés de ansiar pela liberdade! O encontro com a energia superior está ao alcance de qualquer um, mas está longe daqueles que trans-
ferem sua responsabilidade para os outros. Nosso tempo nesta
terra é sagrado, e devemos celebrar cada momento.

A importância disso foi completamente esquecida: até mesmo os feriados religiosos se transformaram em ocasiões para se ir à praia, ao parque, às estações de esqui. Não há mais
ritos. Não se consegue mais transformar as ações ordiná-
rias em manifestações sagradas. Cozinhamos reclamando
da perda de tempo, quando podíamos estar transforman-
do amor em comida. Trabalhamos achando que é uma
maldição divina, quando devíamos usar nossas habilidades
para nos dar prazer, e para espalhar a energia da Mãe.

Athena trouxe para a superfície o riquíssimo mundo que
todos nós carregamos na alma, sem se dar conta de que as
pessoas ainda não estão prontas para aceitar seus poderes.

Nós, as mulheres, quando buscamos um sentido para
nossa vida, ou o caminho do conhecimento, sempre nos iden-
tificamos com um dos quatro arquétipos clássicos.

A Virgem (e aqui não estou falando de sexualidade) é aquela cuja busca se dá através da independência completa, e tudo que aprende é fruto de sua capacidade de enfrentar sozinha os desafios.

A Mártir descobre na dor, na entrega, e no sofrimento, uma maneira de conhecer a si mesma.

A Santa encontra no amor sem limites, na capacidade de dar sem nada pedir em troca, a verdadeira razão de sua vida.

Finalmente, a Bruxa vai em busca do prazer completo e ilimitado – justificando assim sua existência.

Athena foi as quatro ao mesmo tempo, quando devemos geralmente escolher apenas uma destas tradições femininas.

Claro que podemos justificar seu comportamento, alegando que todos os que entram em estado de transe ou de êxtase perdem o contato com a realidade. Isso é falso: o mundo físico e o mundo espiritual são a mesma coisa. Podemos enxergar o Divino em cada grão de poeira, e isso não nos impede de afastá-lo com uma esponja molhada. O divino não parte, mas se transforma na superfície limpa.

Athena devia ter se cuidado mais. Refletindo sobre a vida e a morte de minha discípula, é melhor eu mudar um pouco minha maneira de agir.

Lella Zainab, 64 anos, numeróloga

Athena? Que nome interessante! Vamos ver... o seu número Máximo é o nove. Otimista, social, capaz de ser notada no meio de uma multidão. Pessoas devem se aproximar dela em busca de compreensão, compaixão, generosidade, e justamente por isso deve ficar muito atenta, porque a tendência à popularidade pode subir à sua cabeça, e terminará perdendo mais do que ganhando. Deve também ter cuidado com sua língua, pois tende a falar mais do que manda o bom senso.

Quanto ao seu número Mínimo: onze. Penso que ela almeja alguma posição de chefia. Interesse por temas místicos; através deles procura trazer harmonia a todos que se encontram à sua volta.

Mas isso entra diretamente em confronto com o número nove, que é a soma do dia, mês, e ano do seu nascimento, reduzidos a um único algarismo: estará sempre sujeita à inveja, tristeza, introversão, e decisões temperamentais. Cuidado com as seguintes vibrações negativas: ambição excessiva, intolerância, abuso de poder, extravagância.

Por causa deste conflito, sugiro que procure dedicar-se a algo que não envolva um contato emocional com as pessoas, como trabalho na área de informática ou engenharia.

Está morta? Desculpe. O que ela fazia, afinal?

O que Athena fazia afinal? Athena fez um pouco de tudo, mas, se tivesse que resumir sua vida, diria: uma sacerdotisa que compreendia as forças da Natureza. Melhor dizendo, era alguém que, pelo simples fato de não ter muito o que perder ou esperar da vida, arriscou além do que os outros fazem, e terminou transformando-se nas forças que julgava dominar.

Foi assistente de supermercado, bancária, vendedora de terrenos, e em cada uma destas posições jamais deixou de manifestar a sacerdotisa que tinha dentro de si. Convivi com ela durante oito anos, e lhe devia isso: recuperar sua memória, sua identidade.

A coisa mais difícil ao recolher estes depoimentos foi convencer as pessoas a me permitirem usar seus nomes verdadeiros. Umas alegavam que não queriam estar envolvidas neste tipo de história, outras procuravam esconder suas opiniões e seus sentimentos. Expliquei que minha verdadeira intenção era fazer que todos os envolvidos a entendessem melhor, e ninguém acreditaria em depoimentos anônimos.

Como cada um dos entrevistados julgava possuir a única e definitiva versão de qualquer evento, por mais insignificante que ele fosse, terminaram aceitando. No decorrer das gravações, vi que as coisas não são absolutas, elas existem dependendo da percepção de cada um. E a melhor maneira de saber quem somos, muitas vezes, é procurar saber como os outros nos vêem.

Isso não quer dizer que vamos fazer o que esperam; mas pelo menos nos compreendemos melhor. Eu devia isso a Athena.

Recuperar sua história. Escrever o seu mito.

Samira R. Khalil, 57 anos, dona de casa, mãe de Athena

Não a chame de Athena, por favor. Seu verdadeiro nome é Sherine. Sherine Khalil, filha muito querida, muito desejada, que tanto eu como meu marido queríamos ter gerado por nós mesmos!

Mas a vida tinha outros planos – quando a generosidade do destino é muito grande, sempre há um poço onde todos os sonhos podem despencar.

Vivíamos em Beirute no tempo em que todos a consideravam como a mais bela cidade do Oriente Médio. Meu marido era um bem-sucedido industrial, casamos por amor, viajávamos à Europa todos os anos, tínhamos amigos, éramos convidados para todos os acontecimentos sociais importantes, e certa vez cheguei a receber em minha casa um presidente dos Estados Unidos, imagine! Foram três dias inesquecíveis: dois deles onde o serviço secreto americano esquadrinhou cada canto de nossa casa (eles já estavam no bairro há mais de um mês, ocupando posições estratégicas, alugando apartamentos, disfarçando-se como mendigos ou casais apaixonados). E um dia – melhor dizendo, duas horas de festa. Jamais me esquecerei da inveja nos olhos de nossos amigos, e da alegria de poder tirar fotos com o homem mais poderoso do planeta.

Tínhamos tudo, menos aquilo que mais desejávamos: um filho. Portanto, não tínhamos nada.

Tentamos de todas as maneiras, fizemos promessas, fomos a lugares onde garantiam que era possível um milagre, consultamos médicos, curandeiros, tomamos remédios e bebemos elixires e poções mágicas. Por duas vezes fiz inseminação artificial, e perdi o bebê. Na segunda, perdi também meu ovário esquerdo, e não consegui mais encontrar nenhum médico que quisesse arriscar-se em uma nova aventura deste tipo.

Foi quando um dos muitos amigos que conhecia a nossa situação sugeriu a única saída possível: adotar uma criança. Disse que tinha contatos na Romênia, e que o processo não demoraria muito.

Pegamos um avião um mês depois; nosso amigo tinha negócios importantes com o tal ditador que governava o país na época, e do qual não me lembro o nome (*N.R.: Nicolai Ceaucescu*), de modo que conseguimos evitar todos os trâmites burocráticos e fomos parar em um centro de adoção em Sibiu, na Transilvânia. Ali já nos esperavam com café, cigarros, água mineral, e toda a papelada pronta, bastando apenas escolher a criança.

Nos levaram até um berçário, onde fazia muito frio, e eu fiquei imaginando como é que podiam deixar aquelas pobres criaturas em tal situação. Meu primeiro instinto foi adotar todas, levar para nosso país onde havia sol e liberdade, mas claro que isso era uma idéia maluca. Passeamos entre os berços, escutando choros, aterrorizados pela importância da decisão a tomar.

Por mais de uma hora, nem eu nem meu marido trocamos qualquer palavra. Saímos, tomamos café, fumamos cigarros, voltamos – e isso se repetiu várias vezes. Reparei que a mulher encarregada da adoção já estava ficando impaciente, precisava logo decidir; neste momento, seguindo um instinto que eu ousaria chamar de maternal, como se tivesse encontrado um filho que tinha que ser meu nesta encarnação mas que tinha chegado ao mundo através de outro ventre, apontei para uma menina.

A encarregada sugeriu que pensássemos melhor. Logo ela, que parecia tão impaciente com nossa demora! Mas eu já estava decidida.

Mesmo assim, com todo o cuidado, procurando não ferir meus sentimentos (ela achava que tínhamos contatos com os altos escalões do governo romeno), sussurrou para que meu marido não ouvisse:

– Sei que não vai dar certo. É filha de cigana.

Respondi que uma cultura não pode ser transmitida através dos genes – a criança, que tinha apenas três meses, seria minha filha e do meu marido, educada segundo nossos costumes. Conheceria a igreja que freqüentamos, as praias onde vamos passear, leria seus livros em francês, estudaria na Escola Americana de Beirute. Além do mais, não tinha qualquer informação – e continuo sem ter – sobre a cultura cigana. Sei apenas que viajam, nem sempre tomam banho, enganam os outros, e usam brinco na orelha. Corre a lenda de que costumam raptar crianças para levar em suas caravanas, mas ali estava acontecendo justamente o contrário: tinham deixado uma criança para trás, para que eu me encarregasse dela.

A mulher ainda tentou me dissuadir, mas eu já estava assinando os papéis, e pedindo que meu marido fizesse o mesmo. Na volta para Beirute, o mundo parecia diferente: Deus havia me dado uma razão para existir, para trabalhar, para lutar neste vale de lágrimas. Tínhamos agora uma criança para justificar todos os nossos esforços.

Sherine cresceu em sabedoria e beleza – acho que todos os pais dizem isso, mas penso que era uma criança realmente excepcional. Certa tarde, ela já tinha cinco anos, um de meus irmãos me disse que, se ela quisesse trabalhar no exterior, o seu nome sempre denunciaria sua origem – e sugeriu que o mudássemos para algo que não dissesse absolutamente nada, como Athena. Claro que hoje sei que Athena não apenas é a capital de um país, mas também a deusa da sabedoria, da inteligência, e da guerra.

E possivelmente o meu irmão não apenas soubesse isso, mas estivesse consciente dos problemas que um nome árabe poderia causar no futuro – estava metido em política, como toda nossa família, e desejava proteger sua sobrinha das nuvens negras que ele, mas só ele, conseguia enxergar no horizonte. O mais surpreendente é que Sherine gostou do som da palavra. Em uma única tarde, começou a referir-se a si mesma como Athena, e ninguém conseguiu mais tirar isso de sua cabeça. Para agradá-la, adotamos também este apelido, pensando que logo aquilo iria passar.

Será que um nome pode afetar a vida de uma pessoa? Porque o tempo passou, o apelido resistiu, e terminamos por nos adaptar a ele.

Aos doze anos, descobrimos que tinha uma certa vocação religiosa – vivia na igreja, sabia os evangelhos de cor, e isso era ao mesmo tempo uma bênção e uma maldição. Em um mundo que começava a ser cada vez mais dividido pelas crenças religiosas, eu temia pela segurança de minha filha. A esta altura, Sherine já começava a nos dizer, como se fosse a coisa mais normal do mundo, que tinha uma série de amigos invisíveis – anjos e santos cujas imagens costumava ver na igreja que freqüentávamos. É claro que todas as crianças do mundo têm visões, embora raramente se lembrem disso depois que passam de determinada idade. Também costumam dar vida a coisas inanimadas, como bonecas ou tigres de pelúcia. Mas comecei a achar que estava exagerando quando um dia fui buscá-la na escola, e ela me disse ter visto "uma mulher vestida de branco, parecida com a Virgem Maria".

Acredito em anjos, claro. Acredito até mesmo que os anjos conversem com crianças pequenas, mas, quando as aparições são de gente adulta, as coisas mudam. Conheço uma série de histórias de pastores e gente do campo que afirmaram ter visto uma mulher de branco – e isso terminou por destruir suas vidas, já que as pessoas começam a procurá-los em busca de milagres, os padres se preocupam, as aldeias se transformam em centros de peregrinação, e as pobres crianças acabam suas vidas em um convento. Fiquei portanto muito preocupada com esta história; nesta idade Sherine devia estar mais preocupada com estojos de maquilagem, pintar as unhas, assistir novelas românticas ou programas infantis na TV. Algo estava errado com minha filha, e fui procurar um especialista.

– Relaxe – ele disse.

Para o pediatra especializado em psicologia infantil, como para a maioria dos médicos que cuidam destes temas, os amigos invisíveis são uma espécie de projeção dos sonhos, e ajudam a criança a descobrir seus desejos, expressar seus sentimentos, tudo isso de uma maneira inofensiva.

– Mas uma mulher de branco?

Ele respondeu que, talvez, a nossa maneira de ver ou explicar o mundo não estivesse sendo bem compreendida por Sherine. Sugeriu que, pouco a pouco, começássemos a preparar o terreno para dizer que ela tinha sido adotada. Na linguagem do especialista, a pior coisa que podia acontecer é que ela descobrisse por si mesma – passaria a duvidar de todo mundo. Seu comportamento poderia tornar-se imprevisível.

A partir daquele momento, mudamos nosso diálogo com ela. Não sei se o ser humano consegue lembrar-se de coisas que lhe aconteceram quando era ainda bebê, mas começamos a tentar mostrar-lhe o quanto era amada, e que não havia mais necessidade de refugiar-se em um mundo imaginário. Ela precisava entender que o seu universo visível era tão belo quanto podia ser, seus pais a protegeriam de qualquer perigo, Beirute era linda, as praias estavam sempre cheias de sol e gente. Sem confrontar-me diretamente com a tal "mulher", passei a ficar mais tempo com minha filha, convidei seus amigos de escola para freqüentarem nossa casa, não perdia uma só oportunidade para demonstrar todo nosso carinho.

A estratégia deu resultado. Meu marido viajava muito, Sherine sentia falta, e em nome do amor resolveu mudar um pouco seu estilo de vida. As conversas solitárias começaram a ser substituídas por brincadeiras entre pai, mãe e filha.

Tudo corria bem até que certa noite ela veio chorando ao meu quarto, dizendo que estava com medo, que o inferno estava próximo.

Eu estava sozinha em casa – o marido mais uma vez tivera que se ausentar, e achei que esta era a razão de seu desespero. Mas inferno? O que será que estavam ensinando na escola ou na igreja? Decidi que no dia seguinte iria até lá conversar com a professora.

Sherine, entretanto, não parava de chorar. Eu a levei até a janela, mostrei o Mediterrâneo lá fora, iluminado pela lua cheia. Disse que não havia demônios, mas estrelas no céu e gente caminhando pelo *boulevard* diante de nosso apartamento. Expliquei que não precisava ter medo, que ficasse tranqüila, mas ela continuava a chorar e tremer. Depois de quase meia hora tentando acalmá-la, comecei a ficar nervosa. Pedi que parasse com aquilo, ela já não era mais uma criança. Imaginei que talvez tivesse ocorrido sua primeira menstruação; discretamente perguntei se algum sangue estava correndo.

– Muito.

Peguei um pouco de algodão, pedi que deitasse para que eu pudesse cuidar do seu "ferimento". Não era nada, amanhã eu lhe explicaria. Entretanto, a menstruação não tinha chegado. Ela ainda chorou um pouco, mas devia estar cansada, porque logo dormiu.

E, no dia seguinte, o sangue correu de manhã.

Quatro homens foram assassinados. Para mim, era apenas mais uma das eternas batalhas tribais a que meu povo estava acostumado. Para Sherine, não devia ser nada, porque nem sequer mencionou o seu pesadelo da noite anterior.

Entretanto, a partir dessa data, o inferno estava chegando, e até hoje não se afastou mais. No mesmo dia, 26 palestinos foram mortos em um ônibus, como vingança pelo assassinato. Vinte e quatro horas depois, já não se podia caminhar pelas ruas, por causa dos tiros que vinham de todos os lados. As escolas fecharam, Sherine foi trazida às pressas para casa por uma de suas professoras e, a partir daí, todos perderam controle da situação. Meu marido interrompeu sua viagem no meio e voltou para casa, telefonando dias inteiros para os seus amigos do governo, e ninguém conseguia dizer algo que fizesse sentido. Sherine ouvia os tiros lá fora, os gritos de meu marido dentro de casa, e – para minha surpresa – não dizia uma palavra. Eu tentava sempre lhe dizer que era passageiro, que em breve poderíamos ir de novo à praia, mas ela desviava os olhos e pedia algum livro para ler, ou um disco para ouvir. Enquanto o inferno se instalava aos poucos, Sherine lia e escutava música.

Não quero pensar muito nisso, por favor. Não quero pensar nas ameaças que recebemos, quem estava com a razão, quais eram os culpados e os inocentes. O fato é que, poucos meses depois, quem quisesse atravessar determinada rua, deveria pegar um barco, ir até a ilha de Chipre, tomar outro barco, e desembarcar do outro lado da calçada.

Permanecemos praticamente dentro de casa por quase um ano, sempre esperando a situação melhorar, sempre achando que tudo aquilo era passageiro, o governo iria terminar controlando a situação. Certa manhã, enquanto escutava um disco em sua pequena eletrola portátil, Sherine ensaiou uns passos de dança, e começou a dizer coisas como "vai demorar muito, muito tempo".

Eu quis interrompê-la, mas meu marido pegou-me pelo braço – vi que estava prestando atenção, e levando a sério as palavras de uma menina. Nunca entendi por que, e até hoje não comentamos o assunto; é um tabu entre nós.

No dia seguinte, ele começou a tomar providências inesperadas; em duas semanas estávamos embarcando para Londres. Mais tarde saberíamos que, embora não haja estatísticas concretas a respeito, nestes dois anos de guerra civil (*N.R.: 1974 e 1975*) morreram em torno de 44 mil pessoas, 180 mil ficaram feridas, milhares desabrigadas. Os combates continuaram por outras razões, o país foi ocupado por forças estrangeiras, e o inferno continua até hoje.

"Vai durar muito tempo", dizia Sherine. Meu Deus, infelizmente ela tinha razão.

Lukás Jessen-Petersen, 32 anos, engenheiro, ex-marido

Athena já sabia que tinha sido adotada por seus pais quando a encontrei pela primeira vez. Tinha 19 anos e estava pronta para começar uma briga na cafeteria da universidade porque alguém, pensando que ela tinha origem inglesa (branca, cabelos lisos, olhos às vezes verdes, às vezes cinza), fizera algum comentário desfavorável sobre o Oriente Médio.

Era o primeiro dia de aula; a turma era nova, ninguém conhecia nada a respeito de seus colegas. Mas aquela moça se levantou, segurou a outra pelo colarinho, e começou a gritar feito louca:

– Racista!

Vi o olhar aterrorizado da menina, o olhar excitado dos outros estudantes, sedentos para ver o que acontecia. Como estava um ano na frente daquela turma, previ imediatamente as conseqüências: sala do reitor, queixas, possibilidade de expulsão, inquérito policial sobre racismo, etc. Todo mundo tinha a perder.

– Cala a boca! – gritei sem saber o que estava dizendo.

Não conhecia nenhuma das duas. Não sou o salvador do mundo, e, sinceramente falando, uma briga de vez em quando é estimulante para os jovens. Mas o grito e a reação foram mais fortes que eu.

– Pare com isso! gritei de novo para a moça bonita, que agarrava a outra, também bonita, pelo pescoço. Ela me olhou e me fulminou com os olhos. E, de repente, alguma coisa mudou. Ela sorriu – embora ainda mantivesse suas mãos na garganta de sua colega.

– Você esqueceu de dizer: por favor.

Todo mundo riu.

– Pare com isso – pedi. – Por favor.

Ela largou a menina e caminhou em minha direção. Todas as cabeças acompanharam seu movimento.

– Você tem educação. Será que também tem um cigarro?

Estendi o maço, e fomos fumar no *campus*. Tinha passado da raiva completa ao relaxamento total, e minutos depois estava rindo, comentando o tempo, perguntando se eu gostava deste ou daquele grupo de música. Escutei a sineta que chamava para as aulas, e solenemente ignorei aquilo para o qual tinha sido educado toda minha vida: manter a disciplina. Continuei ali conversando, como se não existisse mais universidade, brigas, cantinas, vento, frio, sol. Existia apenas aquela mulher de olhos cinza na minha frente, dizendo coisas absolutamente desinteressantes e inúteis, capazes de manter-me ali pelo resto de minha vida.

Duas horas depois estávamos almoçando juntos. Sete horas depois estávamos em um bar, jantando e bebendo aquilo que nosso orçamento permitia comer e beber. As conversas foram ficando cada vez mais profundas, e em pouco tempo eu já sabia praticamente toda a sua vida – Athena contava detalhes de sua infância, adolescência, sem que eu fizesse qualquer pergunta. Mais tarde soube que ela era assim com todo mundo; entretanto, naquele dia, me senti o mais especial de todos os homens da face da terra.

Tinha chegado em Londres como refugiada da guerra civil que estourara no Líbano. O pai, um cristão maronita (*N.R.: ramo da Igreja Católica que, embora submetido à autoridade do Vaticano, não exige o celibato dos padres e utiliza ritos orientais e ortodoxos*), fora ameaçado de morte por trabalhar com o governo, e mesmo assim não se decidia exilar-se, até que Athena, ouvindo escondida uma conversa telefônica, decidiu que era hora de crescer, assumir suas responsabilidades de filha, e proteger aqueles que tanto amava.

Ensaiou uma espécie de dança, fingiu que estava em transe (aprendera tudo aquilo no colégio, quando estudava a vida de santos) e começou a dizer coisas. Não sei como uma criança pode fazer com que adultos tomem decisões baseadas em seus comentários, mas Athena afirmou que fora exatamente assim, o pai era supersticioso, estava absolutamente convencida que salvara a vida de sua família.

Chegaram aqui como refugiados, mas não como mendigos. A comunidade libanesa está espalhada no mundo inteiro, o pai logo encontrou um meio de restabelecer seus negócios, e a vida continuou. Athena pôde estudar em boas escolas, fez cursos de dança – que era sua paixão – e escolheu a faculdade de engenharia assim que terminou os cursos secundários.

Já em Londres, seus pais a convidaram para jantar em um dos restaurantes mais caros da cidade, e explicaram, com todo cuidado, que ela tinha sido adotada. Ela fingiu surpresa, abraçou-os, e disse que nada iria mudar a relação entre eles.

Mas na verdade, algum amigo da família, em um momento de ódio, já lhe havia chamado de "órfã sem gratidão, você nem sequer é filha natural, e não sabe como se comportar". Ela atirou um cinzeiro que o feriu no rosto, chorou escondida durante dois dias, mas logo se acostumou com o fato. O tal parente ficou com uma cicatriz que não podia explicar para ninguém, e passou a dizer que tinha sido agredido na rua por assaltantes.

Convidei-a para sair no dia seguinte. De maneira absolutamente direta disse que era virgem, freqüentava a igreja aos domingos, e não se interessava por romances de amor – estava mais preocupada em ler tudo que podia sobre a situação no Oriente Médio.

Enfim, estava ocupada. Ocupadíssima.

– As pessoas acreditam que o único sonho de uma mulher é casar e ter filhos. E você acha que, por causa de tudo que lhe contei, sofri muito na vida. Não é verdade, e já conheço esta história, outros homens se aproximaram de mim com a conversa de "proteger-me" das tragédias.

"O que elas esquecem é que, desde a Grécia antiga, as pessoas que retornavam dos combates vinham mortas em cima de seus escudos, ou mais fortes, em cima de suas cicatrizes. Melhor assim: estou no campo de batalha desde que nasci, continuo viva, e não preciso de ninguém para me proteger."

Ela deu uma pausa.

– Vê como sou culta?

– Muito culta, mas, quando ataca alguém mais fraca que você, está insinuando que realmente necessita de proteção. Podia ter arruinado sua carreira universitária ali.

– Tem razão. Aceito o convite.

A partir desse dia passamos a sair com regularidade, e quanto mais perto dela eu ficava, mais eu descobria minha própria luz – porque me estimulava a dar sempre o melhor de mim mesmo. Jamais tinha lido qualquer livro de magia ou esoterismo: dizia que era coisa do demônio, que a única salvação estava em Jesus e ponto final. De vez em quando insinuava coisas que não pareciam estar de acordo com os ensinamentos da Igreja:

– Cristo estava cercado de mendigos, prostitutas, cobradores de impostos, pescadores. Penso que com isso queria dizer que a centelha divina está na alma de todos, jamais se extingue. Quando fico quieta, ou quando estou muitíssimo agitada, sinto que estou vibrando junto com o universo inteiro. E passo a conhecer coisas que não conheço – como se fosse o próprio Deus que estivesse guiando meus passos. Há minutos em que sinto que tudo me está sendo revelado.

E logo se corrigia:

– Isso é errado.

Athena vivia sempre entre dois mundos: o que sentia como verdadeiro e o que lhe era ensinado através de sua fé.

Certo dia, depois de quase um semestre de equações, cálculos, estudos de estrutura, disse que ia abandonar a faculdade:

– Mas você nunca comentou isso comigo!

– Tinha medo até de conversar este assunto comigo mesma. Entretanto, hoje estive na minha cabeleireira; ela trabalhou dia e noite para que sua filha pudesse acabar o curso de sociologia. A filha conseguiu terminar a faculdade, e, depois de bater em muitas portas, conseguiu trabalhar como secretária em uma firma de cimento. Mesmo assim, minha cabeleireira repetia hoje, toda orgulhosa: "Minha filha tem um diploma".

"A maioria dos amigos de meus pais, e dos filhos dos amigos de meus pais, tem um diploma. Isso não significa que conseguiram trabalhar no que desejavam – muito pelo contrário, entraram e saíram de uma universidade porque alguém, em uma época em que as universidades parecem importantes, disse que uma pessoa para subir na vida precisava ter um diploma. E o mundo deixa de ter excelentes jardineiros, padeiros, antiquários, pedreiros, escritores."

Pedi que pensasse um pouco mais, antes de tomar uma decisão tão radical. Mas ela citou os versos de Robert Frost:

"Diante de mim havia duas estradas
Eu escolhi a estrada menos percorrida
E isso fez toda a diferença."

No dia seguinte, não apareceu para as aulas. Em nosso encontro seguinte perguntei o que iria fazer.

— Casar. E ter um filho.

Não era um ultimato. Eu tinha vinte anos, ela dezenove, e pensava que ainda era muito cedo para qualquer compromisso desta natureza.

Mas Athena falava seríssimo. E eu precisava escolher entre perder a única coisa que realmente ocupava meu pensamento — o amor por aquela mulher — ou perder minha liberdade e todas as escolhas que o futuro me prometia.

Honestamente, a decisão não foi nem um pouco difícil.

Padre Giancarlo Fontana, 72 anos

Claro que fiquei muito surpreso quando aquele casal, jovem demais, veio até a igreja para que organizássemos a cerimônia. Eu pouco conhecia Lukás Jessen-Petersen, e naquele mesmo dia aprendi que sua família, de uma obscura nobreza da Dinamarca, era frontalmente contra a união. Não apenas contra o casamento, mas também contra a Igreja.

Seu pai, baseando-se em argumentos científicos realmente incontestáveis, dizia que a Bíblia, onde toda a religião está baseada, na verdade não era um livro – mas uma colagem de 66 manuscritos diferentes, em que não se conhece nem o verdadeiro nome, nem a identidade do autor; que entre o primeiro e o último livro escrito se passaram quase mil anos, mais do que o tempo em que a América foi descoberta por Colombo. E que nenhum ser vivo em todo o planeta – dos macacos aos pássaros – precisa de dez mandamentos para saber como comportar-se. Tudo que importa é que sigam as leis da natureza, e o mundo se manterá em harmonia.

Claro que leio a Bíblia. Claro que sei um pouco de sua história. Mas os seres humanos que a escreveram foram instrumentos do Poder Divino, e Jesus forjou uma aliança muito mais forte que os dez mandamentos: o amor. Os pássaros, os macacos, seja lá de que criatura de Deus estivermos falando, obedecem aos seus instintos e seguem apenas aquilo que está programado. No caso do ser humano, as coisas ficam mais complicadas porque ele conhece o amor e as suas armadilhas.

Pronto. Já estou eu fazendo de novo um sermão quando na verdade devia estar falando do meu encontro com Athena e Lukás. Enquanto conversava com o rapaz – e eu digo conversar, porque não pertencemos à mesma fé, e portanto não estou submetido ao segredo da confissão, soube que, além do anticlericalismo que reinava em casa, havia uma imensa resistência pelo fato de Athena ser estrangeira. Tive vontade de pedir que citasse pelo menos um trecho da Bíblia, onde não está nenhuma profissão de fé, mas um alerta ao bom senso:

"Não abominarás o edomeu, pois é teu irmão; nem abominarás o egípcio, pois estrangeiro foste na sua terra."

Perdão. De novo começo a citar a Bíblia, e prometo que irei me controlar a partir de agora. Após a conversa com o rapaz, passei pelo menos umas duas horas com Sherine – ou Athena, como preferia ser chamada.

Athena sempre me intrigou. Desde que começou a freqüentar a igreja, me parecia ter um projeto muito claro em mente: tornar-se santa. Disse-me que, embora seu namorado não soubesse, pouco antes da guerra civil estourar em Beirute tivera uma experiência muito semelhante à de Santa Teresa de Lisieux: tinha visto sangue nas ruas. Podemos atribuir tudo isso a um trauma de infância e adolescência, mas o fato é que tal experiência, conhecida como "a possessão criativa pelo sagrado", acontece com todos os seres humanos, em maior ou menor escala. De repente, por uma fração de segundo, sentimos que toda a nossa vida está justificada, nossos pecados perdoados, o amor sempre é mais forte, e pode nos transformar definitivamente.

Mas também é neste momento que temos medo. Entregar-se por completo ao amor, seja ele divino ou humano, significa renunciar a tudo – inclusive ao seu próprio bem-estar, ou sua própria capacidade de tomar decisões. Significa amar no mais profundo sentido da palavra. Na verdade, não queremos ser salvos da maneira que Deus escolheu para nos resgatar: queremos manter o absoluto controle de todos os passos, ter plena consciência de nossas decisões, sermos capazes de escolher o objeto de nossa devoção.

Com o amor não é assim – ele chega, instala-se, e passa a dirigir tudo. Só mesmo almas muito fortes deixam-se levar, e Athena era uma alma forte.

Tão forte que passava horas em profunda contemplação. Tinha um dom especial para a música; diziam que dançava muito bem, mas como a igreja não é um local apropriado para isso, costumava trazer seu violão todas as manhãs, e ficar pelo menos algum tempo cantando para a Virgem, antes de ir para a universidade.

Ainda me recordo de quando a escutei pela primeira vez. Já havia celebrado a missa matinal para os poucos paroquianos que se dispõem a acordar cedo no inverno, quando me lembrei que havia esquecido de recolher o dinheiro que depositaram na caixa de oferendas. Voltei, e escutei uma música que me fez ver tudo de maneira diferente, como se o ambiente tivesse sido tocado pela mão de um anjo. Em um canto, numa espécie de êxtase, uma jovem de aproximadamente vinte anos de idade tocava em seu violão alguns hinos de louvor, com os olhos fixos na imagem da Imaculada Conceição.

Fui até a caixa de oferendas. Ela notou minha presença, e interrompeu o que fazia – mas fiz um sinal afirmativo com a cabeça, incentivando-a a continuar. Depois, sentei-me em um dos bancos, fechei os olhos, e fiquei escutando.

Neste momento, a sensação do Paraíso, "a possessão criativa pelo sagrado" pareceu descer dos céus. Como se entendesse o que se passava no meu coração, ela começou a combinar o seu canto com o silêncio. Nos momentos em que parava de tocar, eu dizia uma prece. Em seguida, a música recomeçava.

Tive consciência de que estava vivendo um momento inesquecível na minha vida – estes momentos mágicos que só conseguimos entender depois que já foram embora. Estava ali por inteiro, sem passado, sem futuro, vivendo apenas aquela manhã, aquela música, aquela doçura, a prece inesperada. Entrei em uma espécie de adoração, de êxtase, de gratidão por estar neste mundo, contente por ter seguido minha vocação apesar dos confrontos com minha família. Na simplicidade daquela pequena capela, na voz da menina, na luz da manhã que tudo inundava, mais uma vez entendi que a grandeza de Deus se mostra através das coisas simples.

Depois de muitas lágrimas e do que me parece uma eternidade, ela parou. Virei-me, descobri que era uma das paroquianas. Desde então nos tornamos amigos, e sempre que podíamos participávamos desta adoração através da música.

Mas a idéia do casamento me deixou completamente surpreso. Como tínhamos uma certa intimidade, quis saber como esperava que a família do marido a recebesse.

– Mal. Muito mal.

Com todo cuidado, perguntei se estava sendo forçada a casar por alguma razão.

– Sou virgem. Não estou grávida.

Quis saber se já tinha comunicado sua própria família, e me disse que sim – a reação foi de espanto, acompanhada de lágrimas da mãe e ameaças do pai.

– Quando venho aqui louvar a Virgem com minha música, não estou pensando no que os outros vão dizer: estou apenas dividindo com ela os meus sentimentos. E, desde que me entendo por gente, sempre foi assim; sou um vaso onde a Energia Divina pode manifestar-se. E esta energia agora me pede que eu tenha uma criança, de modo que possa dar-lhe aquilo que minha mãe de sangue jamais me deu: proteção e segurança.

Ninguém está seguro nesta terra, respondi. Tinha ainda um longo futuro pela frente, havia bastante tempo para o milagre da criação se manifestar. Mas Athena estava decidida:

– Santa Teresa não se rebelou contra a doença que a atingiu; muito pelo contrário, viu naquilo um sinal da Glória. Santa Teresa era muito mais jovem que eu, tinha quinze anos, quando decidiu entrar para um convento. Foi proibida, e não aceitou: resolveu ir conversar com o Papa diretamente – o senhor pode imaginar o que é isso? Conversar com o Papa! E conseguiu atingir seus objetivos.

"Esta mesma Glória está me pedindo algo muito mais fácil e muito mais generoso que uma doença – que eu seja mãe. Se esperar muito, não poderei ser companheira de meu filho, a diferença de idade será grande, e já não teremos os mesmos interesses em comum."

Não seria a única, eu insisti.

Mas Athena continuou, como se não estivesse me ouvindo:

– Só estou feliz quando penso que Deus existe e me escuta; isso não basta para continuar vivendo, e nada parece ter um sentido. Procuro demonstrar uma alegria que não tenho, escondo minha tristeza para não deixar preocupados aqueles que tanto me amam e tanto se preocupam por mim. Mas recentemente tenho considerado a hipótese do suicídio. À noite, antes de dormir, tenho longas conversas comigo mesma, pedindo que esta idéia vá embora, seria uma ingratidão com todos, uma fuga, uma maneira de espalhar tragédia e miséria sobre a terra. De manhã venho aqui conversar com a Santa, pedir que me livre dos demônios com quem falo durante a noite. Deu resultado até agora, mas começo a fraquejar. Sei que tenho uma missão que recusei por muito tempo, e agora preciso aceitá-la.

"Esta missão é ser mãe. Preciso cumpri-la, ou enlouque-
ço. Se não conseguir ver a vida crescendo dentro de mim, não
conseguirei mais aceitar a vida que está do lado de fora."

Lukás Jessen-Petersen, ex-marido

Quando Viorel nasceu eu acabara de completar vinte e dois anos. Já não era mais o estudante que acaba de casar com uma ex-companheira de faculdade, mas um homem responsável pelo sustento de sua família, com uma enorme pressão sobre meus ombros. Meus pais, é claro, nem sequer tinham comparecido ao casamento, condicionaram qualquer ajuda financeira à separação e à guarda do filho (melhor dizendo, meu pai comentou isso, porque minha mãe costumava telefonar chorando, dizendo que eu era um louco, mas que gostaria muito de segurar seu neto nos braços). Eu esperava que, na medida em que entendessem meu amor por Athena e minha decisão de continuar com ela, esta resistência fosse passar.

Mas não passava. E agora eu precisava prover minha mulher e meu filho. Tranquei a matrícula na faculdade de Engenharia. Recebi um telefonema do meu pai, com ameaças e afagos: dizia que, se eu continuasse assim, terminaria sendo colocado fora da herança, mas, se voltasse à universidade, ele iria considerar ajudar-me "provisoriamente", segundo suas palavras. Eu me recusei; o romantismo da juventude exige que tenhamos sempre posições radicais. Disse que podia resolver meus problemas sozinho.

Até a data que Viorel nasceu, Athena começava a fazer com que eu me entendesse melhor. E isso não tinha ocorrido através de nossa relação sexual – muito tímida, devo confessar –, mas através da música.

A música é tão antiga quanto os seres humanos, me explicaram depois. Nossos ancestrais, que viajavam de caverna em caverna, não podiam carregar muitas coisas, mas a arqueologia moderna mostra que, além do pouco que necessitavam para comer, na bagagem havia sempre um instrumento musical, geralmente um tambor. A música não é apenas algo que nos conforte, ou que nos distraia, mas vai além disso – é uma ideologia. Você conhece as pessoas pelo tipo de música que elas escutam.

Vendo Athena dançar enquanto estava grávida, escutando-a tocar seu violão para que o bebê pudesse tranqüilizar-se e entender que era amado, eu comecei a deixar que sua maneira de ver o mundo contagiasse também a minha vida. Quando Viorel nasceu, a primeira coisa que fizemos quando ele chegou em casa foi fazê-lo escutar um adágio de Albinoni. Quando discutíamos, era a força da música – embora eu não consiga estabelecer nenhuma relação lógica entre uma coisa e outra, exceto pensar nos *hippies* – que nos ajudava a enfrentar os momentos difíceis.

Mas todo este romantismo não bastava para ganhar dinheiro. Já que eu não tocava nenhum instrumento, e não podia sequer oferecer-me para distrair clientes em um bar, terminei conseguindo apenas um emprego como estagiário em uma firma de arquitetura, fazendo cálculos estruturais. Pagavam muito pouco por hora, de modo que eu saía de casa cedo e voltava tarde. Quase não podia ver meu filho – que estava dormindo – e quase não podia conversar ou fazer amor com minha mulher, que estava exausta. Toda noite eu me perguntava: quando será que vamos melhorar nossa condição financeira, e ter a dignidade que merecemos? Embora concorde quando Athena fala da inutilidade de diploma para a maioria dos casos, em engenharia (e direito, e medicina, por exemplo) é fundamental uma série de conhecimentos técnicos, ou estaremos arriscando a vida dos outros. E eu havia sido obrigado a interromper a busca de uma profissão que tinha escolhido, um sonho que era muito importante para mim.

As brigas começaram. Athena se queixava que eu dava pouca atenção à criança, que ela precisava de um pai, que se fosse apenas para ter um filho ela poderia fazer isso sozinha, sem precisar ter criado tantos problemas para mim. Mais de uma vez bati a porta de casa e fui caminhar, gritando que ela não me entendia, que eu tampouco entendia como terminara concordando com esta "loucura" de ter filho aos vinte anos, antes que tivéssemos sido capazes de ter um mínimo de condições financeiras. Pouco a pouco deixamos de fazer amor, fosse por cansaço, fosse porque um sempre vivia irritado com o outro.

Comecei a entrar em depressão, achando que tinha sido usado e manipulado pela mulher que amava. Athena notou meu estado de espírito cada vez mais estranho, e, em vez de ajudar-me, decidiu concentrar sua energia apenas em Viorel e na música. Minha fuga passou a ser o trabalho. De vez em quando conversava com meus pais, e sempre ouvia aquela história de que "ela teve um filho para conseguir prendê-lo".

Por outro lado, sua religiosidade aumentava muito. Exigiu logo o batizado, com um nome que ela mesma havia decidido – Viorel, de origem romena. Penso que, exceto por uns poucos imigrantes, ninguém na Inglaterra se chama Viorel, mas eu achei criativo, e mais uma vez entendi que estava fazendo uma estranha conexão com um passado que nem chegara a viver – os dias no orfanato em Sibiu.

Eu procurava me adaptar a tudo – mas senti que estava perdendo Athena por causa da criança. Nossas brigas se tornaram mais freqüentes, ela começou a ameaçar sair de casa, porque achava que Viorel estava recebendo as "energias negativas" de nossas discussões. Certa noite, depois de mais uma ameaça, quem saiu de casa fui eu, achando que voltaria logo que me acalmasse um pouco.

Comecei a caminhar por Londres sem qualquer rumo, blasfemando a vida que tinha escolhido, o filho que tinha aceitado, a mulher que parecia já não ter mais nenhum interesse na minha presença. Entrei no primeiro bar, perto de uma estação de metrô, e tomei quatro doses de uísque. Quando o bar fechou às 11 da noite, fui até uma loja, dessas que ficam abertas de madrugada, comprei mais uísque, sentei-me em um banco de praça, e continuei bebendo. Um grupo de jovens se aproximou, pediu que dividisse com eles a garrafa, eu recusei, e fui espancado. A polícia logo apareceu, e terminamos todos na delegacia.

Eu fui liberado logo após prestar depoimento. Evidente que não acusei ninguém, disse que tinha sido uma discussão a toa, ou passaria alguns meses de minha vida tendo que comparecer a tribunais, como vítima de agressão. Quando estava pronto para sair, o meu estado de embriaguez era tal que caí por cima da mesa de um inspetor. O homem se irritou, mas, em vez de me prender por desacato à autoridade, empurrou-me para fora.

E ali estava um dos meus agressores, que me agradeceu por não ter levado o caso adiante. Comentou que eu estava completamente sujo de lama e sangue, e sugeriu que eu arranjasse roupas novas antes de voltar para casa. Em vez de continuar meu caminho, pedi que ele me fizesse um favor: que me escutasse, porque eu estava com uma imensa necessidade de falar.

Durante uma hora ele ouviu em silêncio minhas queixas. Na verdade eu não estava conversando com ele, mas comigo mesmo, um rapaz com toda uma vida pela frente, uma carreira que poderia ser brilhante, uma família que tinha contatos suficientes para abrir muitas portas, mas que agora parecia um dos mendigos de Hampstead (*N.R.: bairro de Londres*), embriagado, cansado, deprimido, sem dinheiro.

Tudo por causa de uma mulher, que nem sequer me dava atenção.

No final de minha história, já enxergava melhor a condição em que me encontrava: uma vida que eu tinha escolhido, acreditando que o amor sempre pode salvar tudo. E não é verdade: às vezes ele termina nos levando ao abismo, com a agravante de que geralmente carregamos conosco pessoas queridas. Neste caso, eu estava a caminho de destruir não apenas a minha existência, mas também as de Athena e de Viorel.

Naquele momento, repeti mais uma vez para mim mesmo que era um homem, e não o rapaz que tinha nascido em berço de ouro, e enfrentado com dignidade todos os desafios que me tinham sido colocados. Fui para casa, Athena já estava dormindo com o bebê em seus braços. Tomei um banho, saí de novo para jogar as roupas sujas na lixeira da rua, deitei-me, estranhamente sóbrio.

No dia seguinte, disse que desejava o divórcio. Ela perguntou por quê.

– Porque te amo. Amo Viorel. E tudo que tenho feito é culpar vocês dois por ter abandonado meu sonho de ser engenheiro. Se tivéssemos esperado um pouco, as coisas seriam diferentes, mas você pensou apenas em seus planos – esqueceu de incluir-me neles.

Athena não reagiu, como se já estivesse esperando por isso, ou como se inconscientemente estivesse provocando esta atitude.

O meu coração sangrava, porque esperava que me pedisse por favor para ficar. Mas ela parecia calma, resignada, preocupada apenas em fazer com que o bebê não escutasse nossa conversa. Foi nesse momento que tive certeza que jamais havia me amado, eu fora apenas um instrumento para a realização deste sonho louco de ter um filho aos 19 anos.

Disse que podia ficar com a casa e os móveis, mas ela re-
cusou-se: iria para a casa da mãe algum tempo, procuraria
um emprego, e alugaria seu próprio apartamento. Perguntou-
me se podia ajudar financeiramente com Viorel. Eu concordei na hora.

Levantei-me, dei-lhe um último e longo beijo, tornei a in-
sistir que ela ficasse ali, ela voltou a afirmar que iria para
casa de sua mãe assim que tivesse arrumado todas as suas
coisas. Hospedei-me em um hotel barato, e fiquei esperando todas as noites que ela me telefonasse pedindo para voltar, recomeçar uma nova vida – eu estava inclusive pronto
para continuar com a vida antiga se fosse necessário, já que
o afastamento me fizera dar conta que não havia ninguém
ou nada mais importante no mundo que a minha mulher
e meu filho.

Uma semana depois, recebi finalmente sua chamada.
Mas tudo que me disse foi que já tinha retirado suas coisas,
e não pretendia voltar. Mais duas semanas, soube que alu-
gara um pequeno sótão em Basset Road, onde precisava subir todos os dias três lances de escada com um menino no
colo. Dois meses se passaram, e terminamos por assinar os
papéis.

Minha verdadeira família partia para sempre. E a família onde nasci me recebia de braços abertos.

Logo depois de nossa separação e do imenso sofrimento
que a seguiu, eu me perguntei se realmente não tinha sido
uma decisão errada, inconseqüente, própria de pessoas que
leram muitas histórias de amor na adolescência, e queriam
repetir a todo custo o mito de Romeu e Julieta. Quando a
dor acalmou – e só existe um remédio para isso, a passagem do tempo –, entendi que a vida me permitira encontrar a única mulher que seria capaz de amar em toda a minha vida. Cada segundo passado ao seu lado valera a pena,

apesar de tudo que aconteceu tornaria a repetir cada passo que dei.

Mas o tempo, além de curar as feridas, mostrou-me algo curioso: é possível amar mais de uma pessoa durante a existência. Casei-me novamente, estou feliz ao lado de minha nova mulher, e não posso imaginar o que seria viver sem ela. Isso porém não me obriga a renunciar a tudo que vivi, desde que tome o cuidado de jamais tentar comparar as duas experiências; não se pode medir o amor como medimos uma estrada ou a altura de um prédio.

Algo muito importante ficou da minha relação com Athena: um filho, seu grande sonho, que me foi comunicado abertamente antes de nos decidirmos casar. Tenho outro filho com minha segunda mulher, agora estou bem preparado para todos os altos e baixos da paternidade, diferente de doze anos atrás.

Certa vez, em um dos encontros quando fui pegar Viorel para ficar o final de semana comigo, resolvi tocar no assunto: perguntei por que tinha se mostrado tão calma quando soube que eu desejava me separar.

– Porque aprendi a sofrer em silêncio toda a minha vida – respondeu.

E só então abraçou-me e chorou todas as lágrimas que gostaria de ter derramado naquele dia.

Padre Giancarlo Fontana

Vi quando ela entrou para a missa de domingo, como sempre carregando o bebê nos braços. Sabia das dificuldades que estavam passando, mas até aquela semana tudo não passava de um desentendimento normal entre casais, que eu esperava fosse resolvido mais cedo ou mais tarde, já que ambos eram pessoas que irradiavam o Bem à sua volta.

Há um ano não vinha tocar seu violão e louvar a Virgem na parte da manhã; dedicava-se a cuidar de Viorel, que eu tive a honra de batizar, embora não me lembre de nenhum santo com este nome. Mas continuava freqüentando a missa todos os domingos, e sempre conversávamos no final, quando todos já tinham ido embora. Dizia que eu era seu único amigo; juntos participamos das adorações divinas, mas agora precisava dividir comigo as dificuldades terrenas.

Amava Lukás mais do que qualquer homem que havia encontrado; era o pai do seu filho, a pessoa que escolhera para dividir sua vida, alguém que renunciara a tudo e tivera coragem bastante para constituir uma família. Quando as crises começaram, ela tentava fazê-lo entender que era passageiro, precisava dedicar-se ao filho, mas não tinha a menor intenção de transformá-lo em uma criança mimada; logo deixaria que enfrentasse sozinho certos desafios da vida. A partir daí, voltaria a ser a esposa e a mulher que ele havia conhecido nos primeiros encontros, talvez até com mais intensidade, porque agora conhecia melhor os deveres e as responsabilidades da escolha que fizera. Mesmo assim, Lukás sentia-se rejeitado; ela procurava desesperadamente dividir-se entre os dois, mas sempre era obrigada a escolher – e nestes momentos, sem a menor sombra de dúvida, escolhia Viorel.

Com meus parcos conhecimentos psicológicos disse que não era a primeira vez que escutava este tipo de história, e que os homens geralmente sentem-se rejeitados em uma situação como essa, mas logo passa; já assistira a este tipo de problema antes, conversando com meus paroquianos. Em uma destas conversas, Athena reconheceu que talvez tivesse se precipitado um pouco, o romantismo de ser uma jovem mãe não lhe deixou ver com clareza os verdadeiros desafios que surgem depois do nascimento do filho. Mas agora era tarde demais para arrependimentos.

Perguntou se eu poderia conversar com Lukás – que jamais aparecia na igreja, seja porque não acreditava em Deus, seja porque preferisse usar as manhãs de domingo para estar mais próximo de seu filho. Eu me prontifiquei a fazê-lo, desde que ele viesse por sua própria vontade. E, quando Athena estava prestes a pedir-lhe este favor, a grande crise aconteceu, e o marido saiu de casa.

Aconselhei-a a ter paciência, mas ela estava profundamente ferida. Já tinha sido abandonada uma vez na infância, e todo o ódio que sentia de sua mãe de sangue foi automaticamente transferido para Lukás – embora mais tarde, pelo que soube, tenham voltado a ser bons amigos. Para Athena, romper os laços de família era talvez o pecado mais grave que alguém pudesse cometer.

Continuou a freqüentar a igreja aos domingos, mas voltava logo para casa – já que não tinha mais com quem deixar o filho, e o menino chorava muito durante a cerimônia, incomodando a concentração dos outros fiéis. Em um dos raros momentos que pudemos conversar, disse que estava trabalhando em um banco, tinha alugado um apartamento, e que não me preocupasse; o "pai" (ela deixara de pronunciar o nome do marido) estava cumprindo com suas obrigações financeiras.

Até que veio aquele domingo fatídico.

Eu sabia o que tinha se passado durante a semana – um dos paroquianos me havia contado. Fiquei algumas noites pedindo que algum anjo me inspirasse, explicando-me se devia manter meu compromisso com a Igreja ou meu compromisso com os homens. Como o anjo não apareceu, entrei em contato com meu superior, e ele disse que a Igreja só consegue sobreviver porque sempre foi rígida com seus dogmas – se começasse a abrir exceções, estaríamos perdidos desde a Idade Média. Sabia exatamente o que ia acontecer, pensei em telefonar para Athena, mas não me havia deixado seu novo número.

Naquela manhã, minhas mãos tremeram quando eu levantei a hóstia, consagrando o pão. Disse as palavras que a tradição milenar me havia transmitido, usando o poder passado de geração em geração pelos apóstolos. Mas logo meu pensamento se voltou para aquela moça com seu filho no colo, uma espécie de Virgem Maria, o milagre da maternidade e do amor manifestos no abandono e na solidão, que acabara de entrar na fila como sempre fazia, e, pouco a pouco, se aproximava para comungar.

Penso que grande parte da congregação ali presente sabia o que estava acontecendo. E todos me olhavam, aguardando minha reação. Vi-me cercados de justos, pecadores, fariseus, sacerdotes do Sinédrio, apóstolos, discípulos, gente de boa e de má vontade.

Athena parou diante de mim e repetiu o gesto de sempre: fechou os olhos, e abriu a boca para receber o corpo de Cristo.

O Corpo de Cristo permaneceu nas minhas mãos.

Ela abriu os olhos, sem entender direito o que estava acontecendo.

– Conversamos depois – sussurrei.

Mas ela não se movia.

– Tem gente atrás de você na fila. Conversamos depois.

– O que está acontecendo? – todos que estavam próximos puderam escutar sua pergunta.

– Conversamos depois.

– Por que não me dá a comunhão? Não vê que está me humilhando diante de todos? Não basta tudo aquilo que já passei?

– Athena, a Igreja proíbe que pessoas divorciadas recebam o sacramento. Você assinou os papéis esta semana. Conversamos depois – insisti mais uma vez.

Como não se movia, fiz menção para que a pessoa atrás dela passasse pelo lado. Continuei dando a comunhão até que o último paroquiano a tivesse recebido. E foi então que, antes de voltar ao altar, escutei aquela voz.

Já não era a voz da moça que cantava para adorar a Virgem, que conversava sobre seus planos, que se comovia ao contar o que aprendera sobre a vida dos santos, que quase chorava ao dividir suas dificuldades no casamento. Era a voz de um animal ferido, humilhado, com o coração repleto de ódio.

– Pois maldito seja este lugar! – disse a voz. – Malditos sejam aqueles que jamais escutaram as palavras de Cristo, e que transformaram sua mensagem em uma construção de pedra. Pois Cristo disse: "Vinde a mim os que estão agoniados, e eu os aliviarei". Eu estou agoniada, ferida, e não me deixam ir até Ele. Hoje aprendi que a Igreja transformou estas palavras: vinde a mim os que seguem as nossas regras, e deixem os agoniados para lá!

Escutei uma das mulheres na primeira fila dizendo que se calasse. Mas eu queria ouvir, eu precisava ouvir. Voltei-me e fiquei diante dela, com a cabeça baixa – era a única coisa que podia fazer.

– Juro que jamais tornarei a colocar os pés em uma igreja. Mais uma vez sou abandonada por uma família, e agora não são dificuldades financeiras, ou imaturidade de gente que casa cedo. Malditos sejam todos os que fecham a porta para uma mãe e um filho! Vocês são iguais àqueles que não acolheram a Sagrada Família, iguais ao que negou Cristo quando Ele mais precisava de um amigo!

E, dando meia-volta, saiu aos prantos, com o filho nos braços. Eu terminei o ofício, dei a bênção final, e fui direto para a sacristia – naquele domingo não haveria confraternização com os fiéis, nem conversas inúteis. Naquele domingo, eu estava diante de um dilema filosófico: tinha escolhido respeitar a instituição, e não as palavras na qual a instituição é baseada.

Já estou velho, Deus pode me levar a qualquer minuto. Continuei fiel à minha religião, e acho que, apesar de todos os seus erros, está sinceramente se esforçando para corrigir-se. Isso levará décadas, talvez séculos, mas um dia tudo que será levado em conta é o amor, a frase de Cristo: "Vinde a mim os agoniados, e eu os aliviarei". Dediquei minha vida inteira ao sacerdócio, e não me arrependo um segundo da minha decisão. Mas em momentos como o que ocorreu naquele domingo, embora não duvidasse da fé, passei a duvidar dos homens.

Sei agora o que aconteceu com Athena, e me pergunto; será que tudo começou ali, ou já estava na sua alma? Penso nas muitas Athenas e Lukás do mundo, que se divorciaram, e por causa disso já não podem receber o sacramento da Eucaristia, resta-lhes apenas contemplar o Cristo sofredor e crucificado, e escutar Suas palavras – que nem sempre estão de acordo com as leis do Vaticano. Em uns poucos casos estas pessoas se afastam, mas a maioria continua vindo à missa dos domingos, porque estão habituados com isso, mesmo conscientes que o milagre da transmutação do pão e do vinho na carne e no sangue do Senhor lhes é proibida.

Penso que, ao sair da igreja, Athena pode ter encontrado Jesus. E, chorando, se atirou em seus braços, confusa, pedindo que lhe explicasse por que estava sendo obrigada a ficar do lado de fora só por causa de um papel assinado, uma coisa sem a menor importância no plano espiritual, e que só interessava mesmo a cartórios e imposto de renda.

E Jesus, olhando para Athena, possivelmente teria respondido:

– Veja bem, minha filha, também estou do lado de fora. Há muito tempo eles não me deixam entrar ali.

Pavel Podbieslki, 57 anos, proprietário do apartamento

Eu e Athena tínhamos uma coisa em comum: éramos ambos exilados de guerras, chegamos à Inglaterra ainda crianças, embora minha fuga da Polônia tenha acontecido há mais de cinqüenta anos. Nós dois sabíamos que, embora sempre haja uma mudança física, as tradições permanecem no exílio – as comunidades tornam a se reunir, a língua e a religião continuam vivas, as pessoas tendem a se proteger umas às outras no ambiente que será para sempre estrangeiro.

Da mesma maneira que as tradições permanecem, o desejo de voltar vai sumindo. Ele precisa permanecer vivo em nossos corações, uma esperança com a qual gostamos de nos enganar – mas que nunca será colocada em prática; eu jamais tornarei a viver em Czestochowa, ela e sua família jamais retornariam a Beirute.

Foi este tipo de solidariedade que me fez alugar o terceiro andar de minha casa em Basset Road – caso contrário, eu teria preferido inquilinos que não tivessem crianças. Já havia cometido este erro antes, e duas coisas aconteciam: eu me queixava do barulho que eles faziam durante o dia, e eles se queixavam do barulho que eu fazia durante a noite. Ambos tinham suas raízes em elementos sagrados – o choro e a música –, mas, como pertenciam a dois mundos completamente diferentes, era difícil que um tolerasse o outro.

Avisei-a, mas ela não ligou, e disse que ficasse tranqüilo quanto ao seu filho: ele passava o dia inteiro na casa da avó. E o apartamento tinha a conveniência de ser perto de seu trabalho, um banco nas redondezas.

Apesar dos meus avisos, apesar de ter resistido bravamente no inicio, oito dias depois a campainha de minha porta tocou. Era ela, com o menino nos braços:

– Meu filho não consegue dormir. Será que apenas hoje não dá para abaixar a música...

Todos na sala a olharam.

– O que é isso?

O menino em seu colo parou imediatamente de chorar, como se estivesse tão surpreso como a mãe ao ver aquele grupo de gente, que subitamente parara de dançar.

Apertei o botão que dava uma pausa na fita cassete, acenei com uma das mãos para que entrasse, e logo destravei de novo o aparelho de som, de modo a não perturbar o ritual. Athena sentou-se em um dos cantos da sala, embalando o bebê em seus braços, vendo que ele dormia com facilidade apesar do ruído do tambor e dos metais. Assistiu a toda a cerimônia, saiu quando os outros convidados também saíram e – como eu podia imaginar – tocou a campainha de minha casa na manhã seguinte, antes de ir para o trabalho.

– Não precisa me explicar o que vi: gente dançando de olhos fechados, e sei o que isso significa, porque muitas vezes faço a mesma coisa, são os únicos momentos de paz e de serenidade na minha vida. Antes de ser mãe, freqüentava boates com meu marido e meus amigos; ali também via gente na pista de dança com os olhos fechados, algumas apenas para impressionar os outros, outras como se fossem movidas por uma força maior, mais poderosa. E, desde que me entendo por gente, encontrei na dança uma maneira de conectar-me com algo mais forte, mais poderoso que eu. Mas queria saber que música é essa.

– O que vai fazer neste domingo?

– Nada de especial. Passear com Viorel no Regent's Park,

respirar um pouco de ar puro. Terei muito tempo para minha própria agenda – neste momento de minha vida, escolhi seguir a agenda do meu filho.

– Pois irei com você.

Nos dois dias antes de nosso passeio, Athena vinha assistir ao ritual. O filho dormia depois de alguns minutos, e ela apenas olhava, sem dizer nada, o movimento ao redor. Embora permanecesse imóvel no sofá, tinha certeza que sua alma estava dançando.

Na tarde de domingo, enquanto passeávamos no parque, pedi que prestasse atenção a tudo que estava vendo e ouvindo: as folhas que balançavam ao vento, as ondas na água do lago, os pássaros cantando, os cães latindo, os gritos de crianças que corriam de um lado para o outro, como se obedecessem a uma estranha lógica, incompreensível para os adultos.

– Tudo se move. E tudo se move com um ritmo. E tudo que se move com um ritmo provoca um som; isso está acontecendo aqui e em qualquer lugar do mundo neste momento. Nossos ancestrais notaram a mesma coisa quando procuravam fugir do frio em suas cavernas: as coisas se moviam e faziam barulho.

"Os primeiros seres humanos talvez tivessem olhado isso com espanto, e logo em seguida com devoção: entenderam que esta era a maneira de uma Entidade Superior comunicar-se com eles. Passaram a imitar os ruídos e os movimentos à sua volta, na esperança de comunicar-se também com esta Entidade: a dança e a música acabavam de nascer. Há alguns dias você me disse que, dançando, consegue comunicar-se com algo mais poderoso que você."

– Quando danço, sou uma mulher livre. Melhor dizendo, sou um espírito livre, que pode viajar pelo universo, olhar o presente, adivinhar o futuro, transformar-se em energia pura. E isso me dá um imenso prazer, uma alegria que está sempre muito mais além das coisas que já experimentei, e que terei que experimentar ao longo de minha existência.

"Em uma época da minha vida estava determinada a transformar-me em santa – louvando Deus através da música e dos movimentos do meu corpo. Mas este caminho está definitivamente fechado para mim."

– Que caminho está fechado?

Ela ajeitou a criança no carrinho de bebê. Vi que não tinha vontade de responder à pergunta, insisti: quando as bocas se fecham, é porque algo de importante está para ser dito.

Sem demonstrar nenhuma emoção, como se tivesse que agüentar sempre em silêncio as coisas que a vida lhe impunha, ela contou-me o episódio da Igreja, quando o padre – talvez seu único amigo – lhe havia recusado a comunhão. E a maldição que lançara naquele minuto; abandonara para sempre a Igreja Católica.

– Santo é aquele que dignifica sua vida – expliquei. – Basta entender que todos nós estamos aqui por uma razão, e basta comprometer-se com ela. Assim, podemos rir de nossos grandes ou pequenos sofrimentos, e caminhar sem medo, conscientes de que cada passo tem um sentido. Podemos deixar-nos guiar pela luz que emana do Vértice.

– O que é o Vértice? Em matemática, é o ponto superior de um triângulo.

– Na vida também é o ponto culminante, a meta de todos aqueles que erram como todo mundo, e, mesmo em seus momentos mais difíceis, não perdem de vista uma luz que emana de seu coração. Isso procuramos fazer em nosso grupo. O Vértice está escondido dentro de nós, e podemos chegar até ele se o aceitarmos, e se reconhecermos sua luz.

Expliquei que a dança que vira nos dias anteriores, realizada por pessoas de todas as idades (no momento éramos um grupo de dez pessoas, entre 19 e 65 anos), tinha sido batizada por mim de "a busca do Vértice". Athena perguntou onde eu havia descoberto isso.

Contei-lhe que, logo depois do final da Segunda Guerra, parte de minha família tinha conseguido escapar do regime comunista que estava sendo instalado na Polônia, resolvendo mudar-se para a Inglaterra. Escutaram dizer que, entre as coisas que deviam trazer, estavam objetos de arte e livros antigos, muito valorizados nesta parte do mundo.

De fato, quadros e esculturas foram logo vendidos, mas os livros ficaram em um canto, enchendo-se de poeira. Como minha mãe queria obrigar-me a ler e falar polonês, eles serviram para minha educação. Um belo dia, dentro de uma edição do século XIX de Thomas Malthus, descobri duas folhas de anotações de meu avô, morto em um campo de concentração. Comecei a ler, acreditando tratar-se de referências sobre herança, ou cartas apaixonadas para alguma amante secreta, já que corria a lenda de que um dia se apaixonara por alguém na Rússia.

De fato, havia uma certa relação entre a lenda e a realidade. Era um relato de sua viagem à Sibéria durante a revolução comunista; ali, na remota aldeia de Diedov, apaixonou-se por uma atriz (*N.R.: foi impossível localizar no mapa tal aldeia; ou o nome foi propositadamente trocado, ou o lugar desapareceu depois das imigrações forçadas de Stalin*). Segundo meu avô, ela fazia parte de uma espécie de seita, que julga encontrar em determinado tipo de dança o remédio para todos os males, já que ela permite o contato com a luz do Vértice.

Estavam temerosos que toda aquela tradição pudesse desaparecer; os habitantes seriam em breve deslocados para outro lugar, e o local passaria a ser usado para testes nucleares. Tanto a atriz como seus amigos pediram que escrevesse tudo que tinham aprendido. Ele assim o fez, mas não deve ter dado muita importância ao caso, esquecendo suas anotações dentro de um livro que carregava, até que um dia eu as descobri.

Athena me interrompeu:

– Mas não se pode escrever sobre dança. É preciso dançar.

– Exato. No fundo, as anotações diziam apenas isso: dançar até a exaustão, como se fôssemos alpinistas subindo esta colina, esta montanha sagrada. Dançar até que, por causa da respiração ofegante, nosso organismo possa receber oxigênio de uma maneira que não está acostumado, e isso termina por fazer com que percamos nossa identidade, nossa relação com o espaço e o tempo. Dançar ao som de percussão apenas, repetir o processo todos os dias, entender que em determinado momento os olhos se fecham naturalmente, e passamos a enxergar uma luz que vem de dentro de nós, que responde a nossas perguntas, que desenvolve nossos poderes escondidos.

– O senhor já desenvolveu algum poder?

Em vez de responder, sugeri que se juntasse ao nosso grupo, já que o menino parecia sempre estar à vontade mesmo quando o som dos pratos e instrumentos de percussão parecia muito alto. No dia seguinte, na hora que sempre começávamos a sessão, ela estava ali. Apresentei-a aos meus companheiros, explicando apenas que se tratava da vizinha do apartamento de cima; ninguém disse nada sobre sua vida, nem perguntou o que ela fazia. Quando chegou a hora marcada, liguei o som e começamos a dançar.

Ela iniciou seus passos com o menino no colo, mas ele logo dormiu, e Athena o colocou no sofá. Antes de fechar meus olhos e entrar em transe, vi que ela tinha entendido exatamente o caminho do Vértice.

Todos os dias — exceto aos domingos — ali estava ela com a criança. Trocávamos apenas umas poucas palavras de boas-vindas; eu colocava a música que um amigo meu conseguira nas estepes russas, e todos começávamos a dançar até estarmos exaustos. No final de um mês, ela me pediu uma cópia da fita.

— Gostaria de fazer isso de manhã, antes de deixar Viorel na casa de mamãe e ir para o trabalho.

Eu relutei:

— Em primeiro lugar, penso que um grupo que está conectado na mesma energia termina criando uma espécie de aura e facilitando o transe de todo mundo. Além do mais, fazer isso antes de ir ao trabalho é preparar-se para ser despedida, já que passará o dia inteiro cansada.

Athena pensou um pouco, mas logo reagiu:

— O senhor tem razão quando fala na energia coletiva. Vejo que no seu grupo existem quatro casais e sua mulher. Todos, absolutamente todos, encontraram o amor. Por isso, podem dividir uma vibração positiva comigo.

"Mas estou só. Melhor dizendo, estou com meu filho, mas seu amor ainda não pode se manifestar de maneira que possamos entender. Então prefiro aceitar minha solidão: se procurar fugir dela neste momento, jamais tornarei a encontrar um parceiro. Se aceitá-la ao invés de ficar lutando contra ela, talvez as coisas mudem. Vi que a solidão é mais forte quando tentamos nos confrontar com ela — mas torna-se fraca quando simplesmente a ignoramos."

— Você veio para o nosso grupo em busca do amor?

— Acho que seria um bom motivo, mas a resposta é não.

Vim em busca de um sentido para a minha vida, cuja única razão é meu filho, e por isso temo que acabe destruindo
Viorel, seja com uma proteção exagerada, seja porque ter-
minarei projetando nele os sonhos que não consegui realizar. Em um destes dias, enquanto dançava, me senti curada. Se estivesse com algo físico, sei que poderíamos chamar
um milagre; mas era algo espiritual, que me incomodava,
e que de repente se afastou.

Eu sabia do que ela estava falando.

– Ninguém me ensinou a dançar ao som desta música –
continuou Athena. – Mas eu pressinto que sei o que estou
fazendo.

– Não é necessário aprender. Lembre-se de nosso passeio
no parque, e do que vimos: a natureza criando o ritmo e
adaptando-se a cada momento.

– Ninguém me ensinou a amar. Mas eu já amei a Deus,
amei meu marido, amo meu filho e minha família. E, mesmo assim, falta algo. Embora eu fique cansada enquanto
danço, quando termino pareço estar em estado de graça,
em um êxtase profundo. Quero que este êxtase se prolongue durante o dia. E que ele me ajude a encontrar o que
falta: o amor de um homem.

"Posso sempre ver o coração deste homem enquanto
danço, embora não consiga ver sua face. Sinto que ele está próximo, e para isso preciso estar atenta. Preciso dançar
de manhã, de modo que possa passar o resto do dia prestando atenção a tudo que acontece à minha volta.

– Você sabe o que quer dizer a palavra "êxtase"? Ela vem
do grego, e significa: sair de si mesmo. Passar o dia inteiro
fora de si mesmo, é pedir demasiado do corpo e da alma.

– Tentarei.

Vi que não adiantava discutir, e fiz uma cópia da fita. A
partir de então, todos os dias acordava com aquele som no

andar de cima, podia ouvir seus passos, e me perguntava como era capaz de encarar seu trabalho em um banco depois de quase uma hora de transe. Em um de nossos encontros casuais nos corredores, sugeri que viesse tomar um café. Athena me contou que tinha feito outras cópias da fita, e que agora muita gente em seu trabalho estava procurando o Vértice.

– Agi errado? Era algo secreto?

Claro que não; pelo contrário, estava me ajudando a preservar uma tradição quase perdida. Nas anotações do meu avô, uma das mulheres dizia que um monge em visita pela região havia afirmado que todos os nossos antepassados e todas as gerações futuras estão presentes em nós. Quando nos libertávamos, estávamos fazendo a mesma coisa com a humanidade.

– Então as mulheres e homens daquela cidadezinha da Sibéria devem estar presentes, e contentes. O trabalho deles está renascendo neste mundo, graças ao seu avô. Mas eu tinha uma curiosidade: por que resolveu dançar, depois que leu o texto? Se tivesse lido algo sobre esporte, teria decidido ser jogador de futebol?

Era a pergunta que ninguém me fazia.

– Porque estava doente, na época. Tinha uma espécie de artrite rara, e os médicos diziam que eu devia me preparar para estar em uma cadeira de rodas aos 35 anos. Vi que tinha pouco tempo diante de mim, e resolvi me dedicar a tudo que não poderia fazer mais adiante. Meu avô tinha escrito, naquele pequeno pedaço de papel, que os habitantes de Diedov acreditavam nos poderes curativos do transe.

– Pelo visto, eles tinham razão.

Eu não respondi nada, mas não estava tão certo assim. Talvez os médicos tivessem se enganado. Talvez o fato de ser um imigrante junto com minha família, sem poder dar-se ao luxo de ficar doente, tenha agido com tal força no meu inconsciente que provocou uma reação natural do organismo. Ou talvez fosse mesmo um milagre, o que iria absolutamente contra o que prega minha fé católica: danças não curam.

Lembro-me que, na minha adolescência, já que não tinha a música que julgava adequada, costumava colocar um capuz preto na minha cabeça e imaginar que a realidade em torno de mim deixava de existir: meu espírito viajava para Diedov, com aquelas mulheres e homens, com meu avô e sua atriz tão amada. No silêncio do quarto eu pedia que me ensinassem a dançar, ir além dos meus limites, porque em pouco tempo estaria paralisado para sempre. Quanto mais meu corpo se movia, mais a luz do meu coração se mostrava, e mais eu aprendia – talvez comigo mesmo, talvez com os fantasmas do passado. Cheguei mesmo a imaginar que música escutavam em seus rituais, e quando um amigo visitou a Sibéria, muitos anos mais tarde, pedi que me trouxesse alguns discos; para minha surpresa, um deles era muito parecido com o que julgava ser a dança de Diedov.

Melhor não dizer nada a Athena – ela era uma pessoa facilmente influenciada, e seu temperamento me parecia instável.

– Talvez você esteja agindo corretamente – foi meu único comentário.

Tornamos a conversar mais uma vez, pouco antes de sua viagem ao Oriente Médio. Parecia contente, como se tivesse encontrado tudo que desejava: o amor.

– As pessoas no meu trabalho criaram um grupo, e chamam a si mesmas "os peregrinos do Vértice". Tudo graças ao seu avô.

– Graças a você, que sentiu necessidade de dividir isso com os outros. Sei que está de partida, e quero lhe agradecer por ter dado outra dimensão àquilo que eu fiz durante anos, tentando difundir esta luz com alguns poucos interessados, mas sempre de maneira tímida, sempre achando que as pessoas iam achar ridícula toda esta história.

— Sabe o que eu descobri? Que embora o êxtase seja a capacidade de sair de si mesmo, a dança é uma maneira de subir ao espaço. Descobrir novas dimensões, e mesmo assim continuar em contato com seu corpo. Com a dança, o mundo espiritual e o mundo real conseguem conviver sem conflitos. Acho que os bailarinos clássicos ficam na ponta dos pés porque estão ao mesmo tempo tocando a terra e alcançando os céus.

Que eu possa me lembrar, estas foram suas últimas palavras. Durante qualquer dança à qual nos entregamos com alegria, o cérebro perde o seu poder de controle, e o coração toma as rédeas do corpo. Só neste momento o Vértice aparece.

Desde que acreditemos nele, claro.

Peter Sherney, 47 anos, diretor-geral de uma filial do Bank of *(eliminado)* em Holland Park, Londres

Aceitei Athena apenas porque sua família era um dos nossos clientes mais importantes – afinal de contas, o mundo gira em torno dos interesses mútuos. Como era agitada demais, coloquei-a para trabalhar em um serviço burocrático, na doce esperança de que terminasse por pedir demissão; desta maneira, eu poderia dizer ao seu pai que havia tentado ajudá-la, sem sucesso.

Minha experiência como diretor havia me ensinado a conhecer o estado de espírito das pessoas, mesmo que elas não digam nada. Haviam ensinado em um curso de gerenciamento: se você quiser livrar-se de alguém, faça tudo para que ele termine lhe faltando com o respeito, e assim poderá ser demitido por justa causa.

Fiz todo o possível para atingir meu objetivo com Athena; como ela não dependia deste dinheiro para sobreviver, ia terminar descobrindo que o esforço de acordar cedo, deixar o filho na casa da mãe, trabalhar o dia inteiro em um serviço repetitivo, voltar para pegar o filho, ir ao supermercado, cuidar da criança, fazê-la dormir, no dia seguinte tornar a gastar três horas em meios de transporte coletivo, tudo absolutamente desnecessário, já que havia outras maneiras mais interessantes de passar seus dias. Aos poucos estava cada vez mais irritadiça, e fiquei orgulhoso de minha estratégia: ia conseguir. Ela começou a reclamar do lugar onde vivia, dizendo que em seu apartamento o proprietário costumava colocar música altíssima durante a noite, e já não conseguia nem sequer dormir direito.

De repente, alguma coisa mudou. Primeiro apenas em Athena. E logo em toda a agência.

Como posso notar esta mudança? Bem, um grupo de pessoas que trabalha é sempre uma espécie de orquestra; um bom gerente é o maestro, e sabe qual instrumento está desafinado, qual transmite mais emoção, e qual simplesmente segue o resto do grupo. Athena parecia tocar seu instrumento sem o menor entusiasmo, sempre distante, jamais dividindo com seus companheiros as alegrias ou tristezas de sua vida pessoal, dando a entender que, quando saía do trabalho, o resto do tempo se resumia a cuidar do seu filho, e nada mais. Até que começou a parecer mais descansada, mais comunicativa, contando para quem quisesse ouvir que havia descoberto um processo de rejuvenescimento.

Claro que isso é uma palavra mágica: rejuvenescimento. Partindo de alguém com apenas 21 anos de idade, soa absolutamente fora de contexto – e, mesmo assim, as pessoas acreditaram, e começaram a pedir o segredo desta fórmula.

Sua eficiência aumentou – embora o serviço continuasse o mesmo. Seus colegas de trabalho, que antes se limitavam ao "bom-dia" e "boa-noite", passaram a convidá-la para almoçar. Quando voltavam, pareciam satisfeitos, e a produtividade do departamento deu um gigantesco salto.

Sei que pessoas apaixonadas terminam por contagiar o meio em que vivem, deduzi imediatamente que Athena devia ter encontrado alguém muito importante para sua vida.

Perguntei, e ela concordou, acrescentando que jamais tinha saído com um cliente, mas neste caso foi impossível recusar o convite. Em uma situação normal, teria sido imediatamente despedida – as regras do banco eram claras, contatos pessoais estavam terminantemente proibidos. Mas, a esta altura, notara que o seu comportamento havia contagiado praticamente todo mundo; alguns de seus colegas começaram a se reunir com ela depois do trabalho, e, pelo que eu saiba, pelo menos dois ou três deles estiveram em sua casa.

Eu estava com uma situação muito perigosa nas mãos; a jovem estagiária, sem qualquer experiência anterior de trabalho, que antes era tímida e às vezes agressiva, tornara-se uma espécie de líder natural dos meus funcionários. Se a despedisse, achariam que foi por ciúme – e perderia o respeito deles. Se a mantivesse, corria o risco de em poucos meses perder o controle do grupo.

Resolvi aguardar um pouco; enquanto isso, a "energia" (eu detesto esta palavra, porque na verdade não quer dizer nada de concreto, a não ser que estejamos falando de eletricidade) da agência começou a melhorar. Os clientes pareciam mais satisfeitos, e começaram a recomendar outros. Os funcionários estavam alegres e, embora o serviço tivesse dobrado, eu não fui obrigado a contratar mais gente para o trabalho, já que todos davam conta de suas funções.

Um dia, recebi uma carta de meus superiores. Eles queriam que eu fosse até Barcelona, onde seria realizada uma convenção do grupo, para poder explicar o método administrativo que estava usando. Segundo eles, tinha conseguido aumentar o lucro sem crescer a despesa, e isso é tudo que interessa aos executivos – no mundo inteiro, diga-se de passagem.

Qual método?

Meu único mérito era saber onde tudo tinha começado, e resolvi chamar Athena ao meu escritório. Cumprimentei-a pela excelente produtividade, ela me agradeceu com um sorriso.

Dei um passo cuidadoso, já que não queria ser mal interpretado:

– E como vai seu namorado? Sempre achei que quem recebe amor, termina dando mais amor ainda. O que ele faz?

– Trabalha na Scotland Yard (*N.R.: departamento de investigação ligado à polícia metropolitana de Londres*).

Preferi não entrar em maiores detalhes. Mas precisava continuar a conversa a qualquer custo, e não tinha muito tempo a perder.

– Notei uma grande mudança em você, e...

– Notou uma grande mudança na agência?

Como responder a uma questão dessas? De um lado, estaria lhe dando mais poder do que seria aconselhável, de outro lado, se não fosse direto, jamais teria as respostas que precisava.

– Sim, notei uma grande mudança. E estou pensando em promovê-la.

– Preciso viajar. Quero sair um pouco de Londres, conhecer novos horizontes.

Viajar? Agora que tudo estava dando certo em meu ambiente de trabalho, ela queria ir embora? Mas, pensando melhor, não era exatamente esta saída que eu estava precisando e desejando?

– Posso ajudar o banco se me der mais responsabilidades – continuou.

Entendido – e ela estava me dando uma excelente oportunidade. Como é que não havia pensado nisso antes? "Viajar" significava afastá-la, retomar minha liderança, sem ter que arcar com os custos de uma demissão ou de uma rebelião. Mas precisava refletir sobre o assunto, porque, antes de ajudar o banco, ela precisava me ajudar. Agora que meus chefes haviam notado o crescimento de nossa produtividade, eu sei que precisaria mantê-la, sob o risco de perder o prestígio e ficar em pior posição que antes. Às vezes entendo por que grande parte de meus companheiros não procura fazer muita coisa para melhorar: se não conseguem, são chamados de incompetentes. Se conseguem, são obrigados a crescer sempre, e terminam seus dias tendo um enfarte do miocárdio.

Dei com cuidado o próximo passo: não é aconselhável assustar a pessoa antes que ela revele o segredo que precisamos saber; melhor fingir que concordamos com o que está pedindo.

– Tentarei fazer chegar seu pedido aos meus superiores. Por sinal, vou me encontrar com eles em Barcelona, e justamente por causa disso é que resolvi chamá-la. Estaria certo se dissesse que o nosso desempenho melhorou desde que, digamos, as pessoas passaram a ter um melhor relacionamento com você?

– Digamos... um melhor relacionamento com elas mesmas.

– Sim. Mas provocado por você – ou estou enganado?

– O senhor sabe que não está enganado.

– Andou lendo algum livro de gerenciamento que não conheço?

– Não leio este tipo de coisa. Mas gostaria que me prometesse que vai realmente considerar o que pedi.

Pensei em seu namorado da Scotland Yard; se prometesse e não cumprisse, estaria sujeito a uma represália? Será que ele havia lhe ensinado alguma tecnologia de ponta, que consegue obter resultados impossíveis?

– Posso contar absolutamente tudo, mesmo que o senhor não cumpra sua promessa. Mas não sei se terá algum resultado, se não fizer o que estou lhe ensinando.

– A tal "técnica de rejuvenescimento"?

– Isso mesmo.

– Será que não basta conhecer apenas em teoria?

– Talvez. Foi através de algumas folhas de papel que ela chegou até quem me ensinou.

Fiquei contente que não estivesse me forçando a tomar decisões que estão além do meu alcance e dos meus princípios. Mas, no fundo, devo confessar que também estava com um interesse pessoal nesta história, já que também sonhava com uma reciclagem de meu potencial. Prometi que faria o possível, e Athena começou a narrar uma longa e esotérica dança em busca de um tal Vértice (ou Eixo, agora não me lembro direito). À medida que íamos falando, eu procurava colocar de maneira objetiva suas reflexões alucinadas. Uma hora apenas não foi suficiente, de modo que pedi que voltasse no dia seguinte, e juntos preparamos o relatório para ser apresentado à diretoria do banco. Em determinado momento de nossa conversa, ela me disse, sorrindo:

– Não tenha receio de escrever algo muito próximo ao que estamos conversando. Penso que mesmo a diretoria de um banco é feita de gente como nós, de carne e osso, e deve estar interessadíssima em processos não convencionais.

Athena estava completamente enganada: na Inglaterra, as tradições falam sempre mais alto que as inovações. Mas o que custava arriscar um pouco, desde que não colocasse em perigo o meu trabalho? Já que a coisa me parecia completamente absurda, era preciso resumi-la e colocá-la de forma que todos pudessem entender. Bastava isso.

Antes de começar minha conferência em Barcelona, repeti a manhã inteira: o "meu" processo está dando resultado, e isso é tudo que interessa. Li alguns manuais, descobrindo que, para apresentar uma idéia nova com o máximo de impacto possível, é preciso também criar uma estrutura de palestra que provoque a audiência, de modo que a primeira coisa que disse para os executivos reunidos em um hotel de luxo foi uma frase de São Paulo: "Deus escondeu as coisas mais importantes dos sábios, porque eles não conseguem entender o que é simples, e resolveu revelá-las aos simples de coração" (*N.R.: impossível saber aqui se ele está se referindo a uma citação do evangelista Mateus (11, 25) onde diz "Graças te dou, ó Pai, Senhor do céu e da terra, porque ocultaste estas coisas aos sábios e entendidos, e as revelaste aos pequeninos". Ou a uma frase de Paulo (Cor. 1, 27): "Mas Deus escolheu as coisas loucas deste mundo para confundir as sábias; e Deus escolheu as coisas fracas deste mundo para confundir as fortes"*).

Quando disse isso, o auditório inteiro, que passara dois dias analisando gráficos e estatísticas, ficou em silêncio. Achei que tinha perdido meu emprego, mas resolvi continuar. Primeiro, porque havia pesquisado o tema, estava seguro do que dizia, e merecia o crédito. Segundo, porque, embora em determinados momentos eu fosse obrigado a omitir a influência gigantesca de Athena em todo o processo, eu tampouco estava mentindo:

– Descobri que, para motivar hoje em dia os funcionários, é preciso mais do que um bom treinamento em nossos centros extremamente qualificados. Todos nós temos nossa parte desconhecida, que, quando vem à tona, é capaz de produzir milagres.

"Todos nós trabalhamos por alguma razão: alimentar os filhos, ganhar dinheiro para sustentar-se, justificar sua vida, conseguir uma parcela de poder. Mas existem etapas aborrecidas durante este percurso, e o segredo consiste em transformar estas etapas em um encontro consigo mesmo, ou com algo mais elevado.

"Por exemplo: nem sempre a busca da beleza está associada a alguma coisa prática, e mesmo assim a procuramos como se fosse a coisa mais importante do mundo. Os pássaros aprendem a cantar, o que não significa que isso irá ajudá-los a conseguir comida, evitar os predadores, ou afastar os parasitas. Os pássaros cantam, segundo Darwin, porque só desta maneira conseguem atrair o parceiro e perpetuar a espécie."

Fui interrompido por um executivo de Genève, que insistia em uma apresentação mais objetiva. Mas o diretor-geral me encorajou a seguir adiante, o que me deixou entusiasmado.

— Ainda segundo Darwin, que escreveu um livro capaz de mudar o curso da humanidade (*N.R.: A origem das espécies, 1871, onde mostra que o homem é uma evolução natural de um tipo de macaco*), todos aqueles que conseguem despertar paixões estão repetindo algo que se passa desde o tempo das cavernas, onde os ritos para cortejar o próximo eram fundamentais para que a espécie humana pudesse sobreviver e evoluir. Ora, que diferença existe entre a evolução da espécie humana e a evolução de uma agência bancária? Nenhuma. As duas obedecem às mesmas leis — só os mais capazes sobrevivem e se desenvolvem.

Neste momento, fui obrigado a citar que havia desenvolvido esta idéia graças à espontânea colaboração de uma de minhas funcionárias, Sherine Khalil.

— Sherine, que gosta de ser chamada de Athena, trouxe para o seu lugar de trabalho um novo tipo de comportamento, ou seja, a paixão. Isso mesmo, a paixão, algo que nunca consideramos quando estamos tratando de empréstimos ou planilhas de gastos. Meus funcionários passaram a usar a música como um estímulo para atender melhor seus clientes.

Outro executivo interrompeu, dizendo que isso era uma idéia antiga: os supermercados faziam a mesma coisa, usando melodias que induziam o cliente a comprar.

— Eu não estou dizendo que colocamos música no ambiente de trabalho. As pessoas passaram a viver de maneira diferente, porque Sherine, ou Athena se preferirem, ensinou-os a dançar *antes* de enfrentarem sua labuta diária. Não sei exatamente que mecanismo isso pode despertar nas pessoas; como gerente, sou apenas responsável pelos resultados, e não pelo processo. Não dancei. Mas entendi que, através daquele tipo de dança, todos se sentiam mais conectados com o que faziam.

"Nascemos, crescemos, e fomos educados com a máxima: tempo é dinheiro. Sabemos exatamente o que é dinheiro, mas qual o significado da palavra *tempo*? O dia compreende 24 horas e uma infinidade de momentos. Precisamos ter consciência de cada minuto, saber aproveitá-lo naquilo que estamos fazendo ou apenas na contemplação da vida. Se desaceleramos, tudo dura muito mais. Claro, pode durar mais a lavagem de pratos, ou a soma de saldos, ou a compilação de créditos, ou a contagem de notas promissórias, mas por que não usar isso para pensar em coisas agradáveis, alegrar-se com o fato de estar vivo?"

O principal executivo do banco me olhava com surpresa. Tenho certeza que ele desejava que eu continuasse a explicar detalhadamente tudo o que aprendera, mas alguns dos presentes começavam a sentir-se inquietos.

– Entendo perfeitamente o que o senhor quer dizer – comentou ele. – Sei que seus funcionários passaram a fazer o trabalho com mais entusiasmo, porque tinham pelo menos um momento do dia em que entravam em contato consigo mesmos. Gostaria de cumprimentá-lo por ter sido flexível o bastante para permitir a integração de ensinamentos não ortodoxos, que estão dando excelentes resultados.

"Mas, já que estamos em uma convenção, e estamos falando de tempo, o senhor tem apenas cinco minutos para concluir sua apresentação. Seria possível tentar elaborar uma lista de pontos principais que nos permitam aplicar estes princípios em outras agências?"

Ele tinha razão. Aquilo tudo podia ser bom para o emprego, mas podia também ser fatal para minha carreira, de modo que resolvi resumir o que tínhamos escrito juntos.

– Baseando-me em observações pessoais, desenvolvi junto com Sherine Khalil alguns pontos, que terei o maior prazer em discutir com quem se interessar. Aqui vão os principais:

"A] Todos nós temos uma capacidade desconhecida, e que permanecerá desconhecida para sempre. Mesmo assim, ela pode ser nossa aliada. Como é impossível medi-la ou dar a esta capacidade um valor econômico, nunca é levada em consideração, mas estou falando aqui com seres humanos, tenho certeza que entendem o que estou dizendo, pelo menos em teoria.

"B] Na minha agência, tal capacidade foi provocada através de uma dança baseada em um ritmo que, se não me engano, vem dos desertos da Ásia. Mas o lugar onde nasceu é irrelevante, desde que as pessoas possam expressar com seu corpo o que a alma pretende dizer. Sei que a palavra 'alma' pode ser mal compreendida aqui, portanto aconselho que a troquemos por 'intuição'. E, se esta palavra também não for bem assimilada, usaremos então 'emoções primárias', que parece ter uma conotação mais científica, embora queira dizer menos do que as palavras anteriores.

"C] Antes de ir ao trabalho, em vez de ginástica ou exercícios de aeróbica, estimulei meus funcionários a dançarem pelo menos durante uma hora. Isso estimula o corpo e a mente, começam o dia exigindo criatividade de si mesmos, e passam a utilizar esta energia acumulada em suas tarefas na agência.

"D] Os clientes e os empregados vivem em um mesmo mundo: a realidade não passa de estímulos elétricos em nosso cérebro. Aquilo que achamos que 'vemos' é um impulso de energia em uma zona completamente escura da cabeça. Portanto, podemos tentar modificar esta realidade, se entramos na mesma sintonia. De alguma maneira que não posso entender, a alegria é contagiosa, como o entusiasmo e o amor. Ou como a tristeza, a depressão, o ódio − coisas que podem ser percebidas 'intuitivamente' pelos clientes e por outros funcionários. Para melhorar o desempenho, é preciso criar mecanismos que mantenham estes estímulos positivos presentes."

− Muito esotérico − comentou uma mulher que dirigia os fundos de ações de uma agencia no Canadá.

Perdi um pouco a compostura − não havia conseguido convencer ninguém. Fingindo ignorar seu comentário, e usando toda minha criatividade, busquei um desfecho técnico:

− O banco devia dedicar uma certa verba para pesquisar como é que este contágio é feito, e desta maneira teríamos muito mais lucro.

Aquele final me parecia razoavelmente satisfatório, de modo que preferi não usar os dois minutos que ainda me restavam. Quando acabou o seminário, no final de um dia exaustivo, o diretor-geral me chamou para jantarmos − na frente de todos os outros colegas, como se estivesse procurando mostrar que me apoiava em tudo que dissera. Nunca havia tido esta oportunidade antes, e procurei aproveitar o melhor possível; comecei a falar de desempenhos, planilhas, dificuldades nas bolsas de valores, novos mercados. Mas ele me interrompeu: estava mais interessado em saber tudo que eu havia aprendido de Athena.

No final, para minha surpresa, levou a conversa para assuntos pessoais.

− Eu sei o que você estava falando na conferência quando mencionou o tempo. No início deste ano, enquanto estava aproveitando minhas férias durante as festas, resolvi sentar-me um pouco no jardim de minha casa. Peguei o jornal na caixa de correio, nada de importante − exceto as coisas que os jornalistas decidiram que devemos saber, acompanhar, tomar posição a respeito.

"Pensei em telefonar para alguém de minha equipe, mas seria um absurdo, já que todos estavam com suas famílias. Almocei com minha mulher, filhos e netos, tirei um cochilo, quando acordei fiz uma série de anotações, e de repente vi que ainda eram duas horas da tarde, tinha mais três dias sem trabalho, e, por mais que adorasse a convivência com minha família, comecei a me sentir inútil.

"No dia seguinte, aproveitando o tempo livre, fui fazer um *check-up* do estômago, que felizmente não mostrou nada de grave. Fui ao dentista, que disse não haver qualquer problema. Tornei a almoçar com mulher, filhos e netos, tornei a dormir, acordei de novo às duas da tarde, e dei-me conta que não tinha absolutamente nada em que concentrar minha atenção.

"Fiquei assustado: não devia estar fazendo alguma coisa? Se quiser inventar trabalho, não precisa muito esforço − sempre temos projetos a serem desenvolvidos, lâmpadas que precisam ser trocadas, folhas secas que devem ser varridas, arrumação de livros, organização dos arquivos do computador, etc. Mas que tal encarar o vazio total? E foi neste momento que me lembrei de algo que me pareceu extremamente importante: precisava ir até a caixa de correio, que fica a um quilômetro de minha casa de campo, colocar um dos cartões de boas-festas que ficara esquecido em cima de minha mesa.

"E fiquei surpreso: por que preciso enviar este cartão hoje? Será que é impossível ficar como estou agora, sem fazer nada?

"Uma série de pensamentos cruzou minha cabeça: amigos que se preocupam com coisas que ainda não aconteceram, conhecidos que sabem preencher cada minuto de suas vidas com tarefas que me parecem absurdas, conversas sem sentido, telefonemas longos para não dizer nada de importante. Já vi meus diretores inventando trabalho para justificar seus cargos, ou funcionários que ficam com medo porque não lhes foi dado nada de importante para fazer aquele dia e isso pode significar que não são mais úteis. Minha mulher que se tortura porque meu filho se divorciou, meu filho que se tortura porque meu neto teve notas baixas na escola, meu neto que morre de medo porque entristece seus pais – embora todos nós saibamos que estas notas não são tão importantes assim.

"Travei uma longa e difícil luta comigo mesmo para não me levantar dali onde estava. Pouco a pouco, a ansiedade foi cedendo lugar à contemplação, e eu comecei a escutar minha alma – ou intuição, ou emoções primitivas, dependendo do que você acredite. Seja o que for, esta parte de mim estava louca para conversar, mas eu vivo ocupado.

"Neste caso não foi a dança, mas a completa ausência de ruído e de movimento, o silêncio, que me fez entrar em contato comigo. E, acredite se quiser, aprendi muitas coisas sobre os problemas que me preocupavam – embora todos estes problemas tivessem se afastado por completo enquanto eu estava ali sentado. Não vi Deus, mas pude entender mais claramente as decisões a tomar."

Antes de pagar a conta, ele sugeriu que eu enviasse a tal funcionária a Dubai, onde o banco estava abrindo uma nova agência, e os riscos eram grandes. Como um excelente diretor, sabia que eu já aprendera tudo que precisava, e agora era apenas uma questão de dar continuidade – a funcionária podia ser mais útil em outro lugar. Sem que soubesse, estava me ajudando a cumprir a promessa que havia feito.

Quando voltei a Londres, imediatamente comuniquei o convite a Athena. Ela aceitou na hora; disse que falava árabe fluentemente (eu sabia, por causa das origens de seu pai). Mas não pretendíamos fazer negócios com árabes, e sim com estrangeiros. Agradeci sua ajuda, ela não demonstrou qualquer curiosidade sobre minha palestra na convenção – perguntou apenas quando devia preparar as malas.

Até hoje não sei se é fantasia esta história de namorado da Scotland Yard. Acho que, se fosse verdade, o assassino de Athena já estaria preso – porque não acredito em nada do que os jornais contaram a respeito do crime. Enfim, posso entender muito bem de engenharia financeira, posso até mesmo dar-me ao luxo de dizer que a dança ajuda os funcionários do banco a trabalhar melhor, mas jamais conseguirei compreender por que a melhor polícia do mundo consegue prender alguns assassinos, e deixar outros soltos.

Isso, entretanto, já não faz mais diferença.

Nabil Alaihi, idade desconhecida, beduíno

Fico muito contente em saber que Athena tinha uma foto minha no lugar de honra de seu apartamento, mas não creio que o que lhe ensinei tenha qualquer utilidade. Ela veio até aqui, no meio do deserto, trazendo pelas mãos uma criança de três anos. Abriu sua bolsa, retirou um radiogravador, e sentou-se diante da minha tenda. Sei que pessoas na cidade costumavam indicar meu nome para estrangeiros que gostariam de provar a cozinha local, e logo disse que ainda era muito cedo para jantar.

– Vim por outra razão – disse a mulher. – Soube através de seu sobrinho Hamid, cliente do banco onde trabalho, que o senhor é um sábio.

– Hamid é apenas um jovem tolo, que, embora diga que sou sábio, jamais seguiu meus conselhos. Sábio foi Mohammed, o Profeta, que a bênção de Deus esteja com ele.

Apontei para seu carro.

– Você não devia dirigir sozinha em um terreno a que não está acostumada, e tampouco se aventurar por aqui sem um guia.

Em vez de me responder, ela ligou o aparelho. Em seguida, tudo que pude ver era aquela mulher flutuando nas dunas, a criança olhando espantada e alegre, e o som que parecia inundar o deserto inteiro. Quando terminou, perguntou se eu havia gostado.

Disse que sim. Em nossa religião existe uma seita que dança para encontrar-se com Allah – louvado seja Seu nome! (*N.R.: a seita em questão é o sufismo*).

– Pois bem – continuou a mulher, apresentando-se como Athena. – Desde criança sinto que devo aproximar-me de

Deus, mas a vida termina por me afastar Dele. A música foi uma das maneiras que encontrei; não é o bastante. Sempre que danço, vejo uma luz, e esta luz agora me pede que vá mais adiante. Não posso continuar aprendendo apenas comigo mesmo, preciso que alguém me ensine.

– Qualquer coisa é bastante – respondi. – Porque Allah, o misericordioso, está sempre próximo. Tenha uma vida digna, isso basta.

Mas a mulher parecia não estar convencida. Eu disse que estava ocupado, precisava preparar o jantar para os poucos turistas que deviam aparecer. Ela respondeu que esperaria o quanto fosse necessário.

– E a criança?

– Não se preocupe.

Enquanto tomava as providências de sempre, observava a mulher e seu filho, os dois pareciam ter a mesma idade; corriam pelo deserto, riam, faziam batalhas de areia, atiravam-se no chão e rolavam pelas dunas. Chegou o guia com três turistas alemães, que comeram, pediram cerveja, precisei explicar que minha religião me impedia de beber ou servir bebidas alcoólicas. Convidei a mulher e seu filho para jantarem, e um dos alemães logo ficou bastante animado com a inesperada presença feminina. Comentou que estava pensando em comprar terrenos, tinha uma grande fortuna acumulada, e acreditava no futuro da região.

– Ótimo – foi a resposta dela. – Também acredito.

– Será que não seria bom jantarmos em outro lugar, para poder discutir melhor a possibilidade de...

– Não – ela cortou, estendendo-lhe um cartão. – Se desejar, pode procurar minha agência.

Quando os turistas foram embora, nos sentamos na frente da tenda. O menino logo dormiu em seu colo; peguei cobertores para todos nós, e ficamos olhando o céu estrelado. Finalmente ela quebrou o silêncio.

– Por que Hamid diz que o senhor é sábio?

– Talvez porque tenha mais paciência que ele. Houve uma época em que tentei lhe ensinar minha arte, mas Hamid parecia mais preocupado em ganhar dinheiro. Hoje deve estar convencido que é mais sábio que eu; tem um apartamento, um barco, enquanto eu estou aqui no meio do deserto, servindo aos poucos turistas que aparecem. Não entende que estou satisfeito com o que faço.

– Entende perfeitamente, porque fala a todos do senhor, com muito respeito. E o que significa sua "arte"?

– Vi hoje você dançando. Eu faço a mesma coisa, só que, em vez de mover meu corpo, são as letras que dançam.

Ela pareceu surpresa.

– Minha maneira de me aproximar de Allah – que seu nome seja louvado! – foi através da caligrafia, a busca do sentido perfeito para cada palavra. Uma simples letra requer que coloquemos nela toda a força que contém, como se estivéssemos esculpindo o seu significado. Assim, quando os textos sagrados são escritos, ali está a alma do homem que serviu de instrumento para divulgá-los ao mundo.

"E não apenas os textos sagrados, mas cada coisa que colocamos no papel. Porque a mão que traça as linhas reflete a alma de quem as escreve."

– Você me ensinaria o que sabe?

– Em primeiro lugar, não creio que uma pessoa tão cheia de energia tenha paciência para isso. Além do mais, não faz parte do seu mundo, onde as coisas são impressas – sem que pensem muito no que estão publicando, se me permite o comentário.

– Gostaria de tentar.

E, durante mais de seis meses, aquela mulher que eu julgava agitada, exuberante, incapaz de ficar quieta por um só momento, passou a me visitar todas as sextas-feiras. O filho sentava-se em um canto, pegava alguns papéis e pincéis, e dedicava-se, também ele, a manifestar em seus desenhos aquilo que os céus assim determinavam.

Eu via seu esforço gigantesco para manter-se quieta, na postura adequada, e perguntava: "Você não acha melhor procurar outra coisa para distrair-se?". Ela respondia: "Preciso disso, preciso acalmar minha alma, e ainda não aprendi tudo que você pode me ensinar. A luz do Vértice me disse que eu devo seguir adiante". Nunca perguntei o que era Vértice, não me interessava.

A primeira lição, e talvez a mais difícil, foi:

– Paciência!

Escrever não era apenas um ato de expressar um pensamento, mas de refletir sobre o significado de cada palavra. Juntos começamos a trabalhar em textos de um poeta árabe, já que não creio que o Alcorão fosse indicado para uma pessoa educada em outra fé. Eu ia ditando cada letra, e assim ela se concentrava no que estava fazendo, em vez de querer saber logo o significado da palavra, da frase, ou do verso.

– Certa vez, alguém me disse que a música tinha sido criada por Deus, e que o movimento rápido era necessário para que as pessoas entrassem em contato consigo mesmas – disse Athena em uma das tardes que passamos juntos. – Durante anos, vi que isso era verdade, e agora estou sendo forçada à coisa mais difícil do mundo, desacelerar meus passos. Por que a paciência é tão importante?

– Porque ela nos faz prestar atenção.

– Mas eu posso dançar obedecendo apenas a minha alma, que me obriga a concentrar-me em algo maior do que eu mesma, e me permite entrar em contato com Deus – se é que posso utilizar esta palavra. Isso já me ajudou a transformar muitas coisas, inclusive meu trabalho. A alma não é mais importante?

– Claro. Entretanto, se sua alma conseguir comunicar-se com seu cérebro, poderá transformar mais coisas ainda. Continuamos nosso trabalho juntos. Eu sabia que, em determinado momento, teria que dizer algo que ela talvez não estivesse pronta para escutar, de modo que procurei aproveitar cada minuto para ir preparando seu espírito. Expliquei que antes da palavra existe o pensamento. E, antes do pensamento, existe a centelha divina que o colocou ali. Tudo, absolutamente tudo nesta terra fazia sentido, e as menores coisas deviam ser levadas em consideração.

– Eduquei meu corpo para que pudesse manifestar por inteiro as sensações da minha alma – dizia ela.

– Agora eduque apenas seus dedos, de modo que eles possam manifestar por inteiro as sensações do seu corpo. Assim, sua imensa força estará concentrada.

– O senhor é um mestre.

– O que é um mestre? Pois eu lhe respondo: não é aquele que ensina algo, mas aquele que inspira o aluno a dar o melhor de si para descobrir o que ele já sabe.

Pressenti que Athena já havia experimentado isso, embora ainda fosse muito jovem. Como a escrita revela a personalidade da pessoa, descobri que tinha consciência de que era amada, não apenas por seu filho, mas por sua família e eventualmente por um homem. Descobri também que tinha dons misteriosos, e procurei jamais demonstrar isso – já que estes dons podiam causar seu encontro com Deus, mas também sua perdição.

Não me limitava a adestrá-la na técnica; procurava também transmitir-lhe a filosofia dos calígrafos.

– A pena com que agora escreve estes versos é apenas um instrumento. Ela não tem consciência, segue o desejo daquele que a segura. E nisso se parece muito com aquilo que chamamos de "vida". Muitas pessoas estão neste mundo apenas cumprindo um papel, sem entender que existe uma Mão Invisível que as guia.

"Neste momento, em suas mãos, no pincel que traça cada letra, estão todas as intenções de sua alma. Procure entender a importância disso."

– Entendo, e vejo que é importante manter certa elegância. Porque o senhor exige que eu me sente em determinada posição, reverencie o material que vou utilizar, e só comece quando tiver feito isso.

Claro. Na medida em que respeitava o pincel, descobria que era necessário ter serenidade e elegância para aprender a escrever. E a serenidade vem do coração.

– A elegância não é uma coisa superficial, mas a maneira que o homem encontrou para honrar a vida e o trabalho. Por isso, quando você sentir que a postura a está incomodando, não pense que ela é falsa ou artificial: ela é verdadeira porque é difícil. Ela faz com que tanto o papel como a pena sintam-se orgulhosos por seu esforço. O papel deixa de ser uma superfície plana e incolor, e passa a ter a profundidade das coisas que ali são colocadas.

"A elegância é a postura mais adequada para que a escrita seja perfeita. Assim também é com a vida: quando o supérfluo é descartado, o ser humano descobre a simplicidade e a concentração: quanto mais simples e mais sóbria a postura, mais bela ela será, embora no início pareça desconfortável."

De vez em quando, ela comentava sobre seu trabalho. Dizia que estava entusiasmada com o que fazia, e que acabara de receber uma proposta de um poderoso emir. Ele fora ao banco para ver um amigo que era diretor (os emires jamais vão aos bancos para retirar dinheiro, têm muitos empregados para fazer isso) e, conversando com ela mencionou que estava procurando alguém para cuidar da venda de terrenos, e gostaria de saber se estava interessada.

Quem se interessaria por comprar terrenos no meio do deserto, ou em um porto que não estava no centro do mundo? Resolvi não comentar nada; olhando para trás, fico contente por ter ficado em silêncio.

Uma única vez falou do amor de um homem, embora sempre que turistas chegavam para jantar, e a encontravam ali, procurassem seduzi-la de alguma maneira. Normalmente Athena sequer se incomodava, até o dia em que um deles insinuou que conhecia seu namorado. Ela ficou pálida, e imediatamente olhou para o menino, que felizmente não estava prestando atenção à conversa.

– Conhece de onde?

– Estou brincando – disse o homem. – Queria apenas saber se estava livre.

Ela não respondeu nada, mas entendi que o homem que estava em sua vida não era o pai do garoto.

Um dia chegou mais cedo que de costume. Disse que tinha deixado o emprego no banco, começara a vender terrenos, e assim teria mais tempo livre. Expliquei que não podia ensiná-la antes da hora marcada, tinha uma série de coisas para fazer.

– Posso juntar as duas coisas: movimento e quietude. Alegria e concentração.

Foi até o carro, pegou o gravador e, a partir daquele momento, Athena dançava no deserto antes de começar as aulas, enquanto a criança corria e sorria à sua volta. Quando se sentava para praticar caligrafia, sua mão estava mais segura do que normalmente.

– Existem dois tipos de letras – eu explicava. – A primeira é feita com precisão, mas sem alma. Neste caso, embora o calígrafo tenha um grande domínio da técnica, ele concentrou-se exclusivamente no ofício – e por causa disso não evoluiu, tornou-se repetitivo, não conseguiu crescer, e um dia irá deixar o exercício da escrita, porque acha que tudo se transformou em rotina.

"O segundo tipo é a letra feita com técnica, mas também com alma. Para isso, é necessário que a intenção de quem escreve esteja de acordo com a palavra; neste caso, os versos mais tristes deixam de ser revestidos de tragédia, e se transformam em simples fatos que estavam em nosso caminho."

– O que você faz com os seus desenhos? – perguntou o menino, em árabe perfeito. Embora não estivesse entendendo nossa conversa, fazia o possível para participar do trabalho da mãe.

– Eu os vendo.

– Posso vender meus desenhos?

– Deve vender seus desenhos. Um dia vai ficar rico com isso, e ajudar sua mãe.

Ele ficou contente com meu comentário, e voltou para o que estava fazendo naquele momento: uma borboleta colorida.

– E que faço com os meus textos? – perguntou Athena.

– Você sabe o esforço que custou sentar-se na posição correta, acalmar sua alma, ter clara sua intenção, respeitar cada letra de cada palavra. Mas, por enquanto, continue apenas praticando.

"Depois de muito praticar, já não pensamos em todos os movimentos necessários: eles passam a fazer parte de nossa própria existência. Antes de chegar a este estado, entretanto, é preciso treinar, repetir. E, como se não bastasse, é preciso repetir e treinar.

"Observe um bom ferreiro trabalhando o aço. Para o olhar destreinado, ele está repetindo as mesmas marteladas.

"Mas quem conhece a arte da caligrafia, sabe que cada

vez que ele levanta o martelo e o faz descer, a intensidade do golpe é diferente. A mão repete o mesmo gesto, mas, à medida que se aproxima do ferro, ela compreende se deve tocá-lo com mais dureza ou mais suavidade. Assim é com a repetição: embora pareça a mesma coisa, é sempre distinta.

"Vai chegar o momento em que não será mais preciso pensar no que se está fazendo. Você passa a ser a letra, a tinta, o papel, e a palavra."

Este momento chegou quase um ano depois. A esta altura, Athena já era conhecida em Dubai, indicava clientes para jantar na minha tenda, e através deles pude entender que sua carreira ia muito bem: estava vendendo pedaços de deserto! Certa noite, precedido de um grande séquito, apareceu o emir em pessoa. Eu fiquei assustado; não estava preparado para aquilo, mas ele me tranqüilizou e me agradeceu o que estava fazendo por sua funcionária.

– É uma pessoa excelente, e atribui suas qualidades ao que está aprendendo com o senhor. Estou pensando em dar-lhe uma parte na sociedade. Talvez seja bom enviar meus vendedores para aprender caligrafia, principalmente agora que Athena deve sair de férias por um mês.

– Não iria adiantar nada – respondi. – Caligrafia é apenas uma das maneiras que Allah – louvado seja Seu Nome! – colocou diante de nós. Ensina objetividade e paciência, respeito e elegância, mas podemos aprender tudo isso...

– ... na dança – completou Athena, que estava perto.

– Ou vendendo imóveis – completei.

Quando todos saíram, quando o menino estendeu-se em um canto da tenda, os olhos quase se fechando de sono, eu trouxe o material de caligrafia e pedi que escrevesse alguma coisa. No meio da palavra, retirei a pena de sua mão. Era a hora de dizer o que precisava ser dito. Sugeri que caminhássemos um pouco pelo deserto.

– Você já aprendeu o que precisava – disse. – Sua caligrafia está cada vez mais pessoal, mais espontânea. Já não é apenas uma repetição da beleza, mas um gesto de criação pessoal. Você entendeu o que os grandes pintores entendem: para esquecer as regras, é preciso conhecê-las e respeitá-las.

"Já não precisa dos instrumentos que a fizeram aprender. Já não precisa do papel, da tinta, da pena, porque o caminho é mais importante que aquilo que a levou a caminhar. Certa vez você me contou que a pessoa que a ensinou a dançar ficava imaginando músicas em sua cabeça – e, mesmo assim, era capaz de repetir os ritmos necessários e precisos."

– Isso mesmo.

– Se as palavras estivessem todas unidas, elas não fariam sentido, ou complicariam muito o seu entendimento: é necessário que existam espaços.

Ela concordou com a cabeça.

– E, apesar de você dominar as palavras, ainda não domina os espaços em branco. Sua mão, quando está concentrada, é perfeita. Quando salta de uma palavra para a outra, ela se perde.

– Como o senhor sabe isso?

– Tenho razão?

– Tem toda razão. Em algumas frações de segundo, antes de concentrar-me na próxima palavra, eu me perco. Coisas que eu não quero pensar insistem em dominar-me.

– E você sabe exatamente o que é.

Athena sabia, mas não disse nada, até voltarmos à tenda, e poder segurar o filho adormecido no colo. Seus olhos pareciam cheios de lágrimas, embora fizesse o possível para controlar-se.

– O emir disse que você iria tirar férias.

Ela abriu a porta do carro, colocou a chave na ignição, e deu a partida. Por alguns momentos, apenas o ruído do motor quebrava o silêncio do deserto.

– Sei o que o senhor está falando – disse ela afinal. – Quando escrevo, quando danço, sou guiada pela Mão que tudo criou. Quando olho Viorel dormindo, sei que ele sabe que é fruto de meu amor pelo pai dele, embora já não o veja há mais de um ano. Mas eu...

Ficou em silêncio de novo. O silêncio que era o espaço em branco entre as palavras.

– ... mas eu não conheço a mão que me embalou pela primeira vez. A mão que me escreveu no livro deste mundo.

Apenas balancei a cabeça em sinal afirmativo.

– O senhor acha isso importante?

– Nem sempre. Mas, no seu caso, enquanto não tocar esta mão, não irá melhorar... digamos... sua caligrafia.

– Não creio que seja necessário descobrir quem jamais se deu ao trabalho de me amar.

Fechou a porta, sorriu, e arrancou com o carro. Apesar de suas palavras, eu sabia qual seria seu próximo passo.

Samira R. Khalil, mãe de Athena

Foi como se todas as suas conquistas profissionais, sua capacidade de ganhar dinheiro, sua alegria com o novo amor, seu contentamento quando brincava com meu neto, tudo isso tivesse sido jogado para um segundo plano. Eu fiquei simplesmente aterrorizada quando Sherine me comunicou a decisão de ir em busca da sua mãe de sangue.

No início, é claro, consolava-me a idéia de que já não existia mais o centro de adoção, as fichas tivessem sido perdidas, os funcionários se mostrassem implacáveis, o governo tinha acabado de cair e era impossível viajar, ou o ventre que a trouxe a esta terra já não estivesse mais neste mundo. Mas foi um consolo momentâneo: minha filha era capaz de tudo, e conseguia superar situações que pareciam impossíveis.

Até aquele momento, o assunto era um tabu na família. Sherine sabia que fora adotada, já que o psiquiatra em Beirute me aconselhara a contar logo que tivesse suficiente idade para compreender. Mas nunca demonstrou curiosidade em saber de que região viera – seu lar tinha sido Beirute, quando ainda era um lar para todos nós.

Como o filho adotado de uma amiga minha terminou se suicidando quando ganhou uma irmã biológica – e ele tinha apenas dezesseis anos! –, nós evitamos ampliar nossa família, fizemos todos os sacrifícios necessários para que entendesse que era a única razão de minhas alegrias e minhas tristezas, dos meus amores e das minhas esperanças. Mesmo assim, parecia que nada disso contava; meu Deus, como os filhos podem ser tão ingratos!

Conhecendo minha filha, sabia que não adiantava argumentar nada disso com ela. Eu e meu marido passamos uma semana sem dormir, e todas as manhãs, todas as tardes, éramos bombardeados com a mesma pergunta: em que cidade da Romênia eu nasci? Para agravar a situação, Viorel chorava, porque parecia estar entendendo tudo que acontecia.

Resolvi consultar de novo um psiquiatra. Perguntei por que uma moça que tinha tudo na vida estava sempre tão insatisfeita.

– Todos nós queremos saber de onde viemos – disse ele.
– Essa é a questão fundamental do ser humano no plano filosófico. No caso de sua filha, acho perfeitamente justo que procure saber suas origens. A senhora não teria esta curiosidade?

Não, eu não teria. Muito pelo contrário, acharia um perigo ir em busca de alguém que me recusou e me rejeitou, quando ainda não tinha forças para sobreviver.

Mas o psiquiatra insistiu:

– Ao invés de entrar em confronto com ela, procure ajudá-la. Talvez, vendo que isso não é um problema para a senhora, ela desista. O ano que passou distante de todos os seus amigos deve ter criado uma carência emocional, que agora ela está procurando compensar através de provocações sem importância. Apenas para ter certeza que é amada.

Teria sido melhor que Sherine tivesse ido, ela mesma, ao psiquiatra: assim compreenderia as razões do seu comportamento.

– Demonstre confiança, não veja nisso uma ameaça. E se no final ela realmente quiser ir adiante, resta apenas dar os elementos que pede. Pelo que entendo, ela sempre foi uma menina problemática; quem sabe sairá mais fortalecida através desta busca.

Perguntei se o psiquiatra tinha filhos. Ele disse que não,

e logo entendi que não era a pessoa indicada para me aconselhar.

Naquela noite, quando estávamos diante da televisão, Sherine voltou ao assunto:

– O que estão assistindo?

– O noticiário.

– Para quê?

– Para saber as novidades do Líbano – respondeu meu marido.

Eu percebi a armadilha, mas já era tarde. Sherine aproveitou-se imediatamente da situação.

– Enfim, vocês também estão curiosos para saber o que está acontecendo na terra em que nasceram. Estão bem estabelecidos na Inglaterra, têm amigos, papai ganha muito dinheiro aqui, vivem em segurança. Mesmo assim, compram jornais libaneses. Mudam de canal até que surja alguma notícia relacionada com Beirute. Imaginam o futuro como se ele fosse o passado, sem se dar conta que esta guerra não acaba nunca.

"Ou seja: se não estão em contato com suas origens, sentem que perderam o contato com o mundo. Custa entender o que estou sentindo?"

– Você é nossa filha.

– Com muito orgulho. E serei para sempre a filha de vocês. Por favor, não tenham dúvidas de meu amor e minha gratidão por tudo que fizeram; eu não estou pedindo nada além de colocar meus pés no verdadeiro lugar onde nasci. Talvez perguntar à minha mãe de sangue por que me abandonou, ou talvez deixar o assunto para lá, quando olhar nos seus olhos. Se não tentar fazer isso, vou me achar covarde, e não poderei jamais entender os espaços em branco.

– Os espaços em branco?

– Aprendi caligrafia enquanto estava em Dubai. Danço

sempre que posso. Mas a música só existe porque existem
as pausas. As frases só existem porque existem os espaços
em branco. Quando estou fazendo algo, me sinto completa; mas ninguém pode viver em atividade durante as 24 horas do dia. No momento em que paro, sinto que algo está
faltando.

"Vocês disseram mais de uma vez que sou uma pessoa
inquieta por natureza. Mas não escolhi esta maneira de viver: gostaria de poder estar aqui, tranqüila, também assistindo televisão. É impossível: minha cabeça não pára. Às vezes
penso que vou enlouquecer, preciso estar sempre dançando, escrevendo, vendendo terrenos, cuidando de Viorel, lendo qualquer coisa que me cai adiante. Acham normal?"

– Talvez seja seu temperamento – disse meu marido.

A conversa terminou ali, da maneira que sempre termi-
nava: Viorel chorando, Sherine fechando-se em seu mutis-
mo, e eu certa de que os filhos nunca reconhecem o que os
pais fazem por eles. Entretanto, durante o café-da-manhã
no dia seguinte, foi meu marido quem puxou o assunto:

– Há algum tempo, quando você estava no Oriente
Médio, eu tentei ver as condições de voltar para casa. Fui
até a rua onde vivemos; a casa não existe mais, embora o
país esteja sendo reconstruído, mesmo com a ocupação estrangeira e as invasões constantes. Experimentei uma sensação de euforia; quem sabe era o momento de recomeçar
tudo de novo? E foi justamente esta palavra, "recomeçar",
que me trouxe de volta à realidade. Eu já passei do tempo
onde podia me dar a esse luxo; hoje em dia, quero continuar o que estou fazendo, não preciso de novas aventuras.

"Procurei as pessoas que costumava encontrar para beber uns copos de uísque no final da tarde. A maioria não
está mais ali, as que ficaram vivem se queixando da constante sensação de insegurança. Caminhei pelos lugares on-

de passeava, e me senti um estranho, como se nada daquilo me pertencesse mais. O pior de tudo é que o sonho de retornar um dia ia desaparecendo à medida que eu me encontrava com a cidade onde nasci.

"Mesmo assim, foi necessário. As canções do exílio ainda continuam em meu coração, mas sei que não tornarei nunca mais a viver no Líbano. De alguma maneira, os dias passados em Beirute me ajudaram a entender melhor o lugar onde estou agora, e a valorizar cada segundo que passo em Londres."

– O que você está querendo me dizer, papai?

– Que você está certa. Talvez seja melhor mesmo entender estes espaços brancos. Podemos ficar com Viorel enquanto estiver viajando.

Ele foi até o quarto, e voltou com uma pasta amarelada. Eram os papéis de adoção – que estendeu para Sherine. Deu-lhe um beijo, e disse que já era hora de partir para o trabalho.

Heron Ryan, jornalista

Durante toda aquela manhã de 1990, tudo que eu podia ver da janela no sexto andar daquele hotel era o prédio do governo. Acabavam de colocar em seu teto uma bandeira do país, indicando o local exato onde o ditador megalomaníaco havia fugido de helicóptero, para encontrar-se com a morte poucas horas depois, nas mãos daqueles que havia oprimido por 22 anos. As casas antigas tinham sido arrasadas por Ceaucescu, no seu plano de fazer uma capital que rivalizasse com Washington. Bucareste ostentava o título da cidade que sofrera a maior destruição fora de uma guerra ou de uma catástrofe natural.

No dia de minha chegada, ainda tentei caminhar um pouco por suas ruas com meu intérprete, mas não havia muita coisa além de miséria, desorientação, senso de que não havia nem futuro, nem passado, nem presente: as pessoas viviam em uma espécie de limbo, sem saber exatamente o que estava se passando em seu país e no resto do mundo. Dez anos mais tarde, quando voltei e vi o país inteiro ressurgindo das cinzas, entendi que o ser humano pode superar qualquer dificuldade – e o povo romeno era um exemplo disso.

Mas naquela manhã cinzenta, naquele cinzento *hall* de um hotel triste, tudo que me preocupava era saber se o intérprete conseguiria um carro e combustível suficiente para que eu pudesse fazer a pesquisa final do documentário para a BBC. Ele estava demorando, e comecei a encher-me de dúvidas: seria obrigado a voltar para a Inglaterra sem conseguir meu objetivo? Já havia investido uma quantidade significativa de dinheiro em contratos com historiadores, na elaboração do roteiro, na filmagem de algumas entrevistas – mas a televisão, antes de assinar o compromisso final, exigia que eu fosse até o tal castelo e para saber em que estado se encontrava. A viagem estava custando mais caro do que eu imaginara.

Tentei telefonar para minha namorada; disseram-me que para conseguir uma linha era necessário esperar quase uma hora. Meu intérprete poderia chegar a qualquer momento com o carro, não havia tempo a perder, resolvi não correr o risco.

Procurei ver se conseguia algum jornal em inglês, mas foi impossível. Para matar a ansiedade, comecei a reparar, da maneira mais discreta possível, nas pessoas que estavam ali tomando o seu chá, possivelmente alheias a tudo que havia se passado no ano anterior – as revoltas populares, os assassinatos a sangue-frio de civis em Timisoara, os tiroteios nas ruas entre o povo e o temido serviço secreto, que tentava desesperadamente manter o poder que lhe escapava das mãos. Notei um grupo de três americanos, uma mulher interessante, mas que não desgrudava os olhos de uma revista de moda, e uma mesa cheia de homens que conversavam em voz alta, mas cuja língua eu não conseguia identificar.

Ia levantar-me pela milésima vez, caminhar até a porta de entrada ver se o intérprete estava chegando, quando ela entrou. Devia ter pouco mais de vinte anos (*N.R.: Athena tinha 23 anos quando foi visitar a Romênia*). Sentou-se, pediu algo para o café-da-manhã, e vi que falava inglês. Nenhum dos homens presentes pareceu notar sua chegada, mas a mulher interrompeu a leitura da revista de moda.

Talvez por causa da minha ansiedade, ou do lugar, que estava me fazendo entrar em depressão, eu tomei coragem e me aproximei.

– Desculpe-me, não costumo fazer isso. Acho que o ca-fé-da-manhã é a refeição mais íntima do dia.

Ela sorriu, disse seu nome, e eu imediatamente me coloquei em guarda. Tinha sido muito fácil – podia ser uma prostituta. Mas seu inglês era perfeito, e estava discretamente vestida. Resolvi não perguntar nada, e comecei a falar compulsivamente de mim, reparando que a mulher na mesa ao lado tinha deixado a revista e prestava atenção à nossa conversa.

– Sou um produtor independente, trabalho para a BBC de Londres, e neste momento tento conseguir uma maneira de ir para a Transilvânia...

Vi que seus olhos mudaram de brilho.

– ... completar meu documentário a respeito do mito do vampiro.

Aguardei: o assunto sempre despertava curiosidade nas pessoas, mas ela perdeu o interesse assim que mencionei o motivo de minha visita.

– Basta tomar um ônibus – respondeu. – Embora não creia que vá encontrar o que procura. Se quiser saber mais sobre Drácula, leia o livro. O autor nunca esteve nesta região.

– E você, conhece a Transilvânia?

– Não sei.

Aquilo não era uma resposta; talvez fosse um problema com a língua inglesa, apesar do seu sotaque britânico.

– Mas também estou indo para lá – continuou. – De ônibus, claro.

Por suas roupas, não parecia ser do tipo aventureira, que sai pelo mundo visitando lugares exóticos. A teoria da prostituta voltou; talvez estivesse procurando aproximar-se.

– Não quer uma carona?

– Já comprei minha passagem.

Eu insisti, achando que aquela primeira recusa fazia parte do jogo. Mas ela tornou a negar, dizendo que precisava fazer a viagem sozinha. Perguntei de onde era, e notei uma grande hesitação, antes de me responder:

– Da Transilvânia, já disse.

– Não disse exatamente isso. Mas, se for o caso, poderia me ajudar a fazer as locações para o filme e...

O meu inconsciente dizia que eu devia explorar o terreno um pouco mais, ainda estava com a idéia da prostituta na cabeça, e gostaria muito, muitíssimo, que ela me acompanhasse. Com palavras educadas, ela recusou minha oferta. A outra mulher entrou na conversa como se resolvesse proteger a moça, eu achei que estava sendo inconveniente, e resolvi me afastar.

O intérprete chegou pouco depois, esbaforido, dizendo que tinha arranjado todo o necessário, mas que iria custar um pouco mais caro (eu já esperava). Subi para meu quarto, peguei a mala, que já estava arrumada, entrei em um carro russo caindo aos pedaços, atravessei as largas avenidas quase sem trânsito, e notei que estava carregando minha pequena câmera fotográfica, meus pertences, minhas preocupações, garrafas de água mineral, sanduíches, e a imagem de alguém que insistia em não sair da minha cabeça.

Nos dias que se seguiram, ao mesmo tempo que eu procurava construir um roteiro sobre o Drácula histórico, e entrevistava – sem sucesso, como previsto – camponeses e intelectuais a respeito do mito do vampiro, ia me dando conta que não estava mais procurando apenas fazer um documentário para a televisão inglesa. Eu gostaria de encontrar de novo aquela moça arrogante, antipática, auto-suficiente, que tinha visto em um café, num hotel de Bucareste, e que naquele momento devia estar ali, perto de mim; sobre a qual eu não sabia absolutamente nada além do seu nome, mas que, como o mito do vampiro, parecia sugar toda a minha energia em sua direção.

Um absurdo, uma coisa sem sentido, algo inaceitável para o meu mundo, e para o mundo daqueles que conviviam comigo.

Deidre O'Neill, conhecida como Edda

Não sei o que veio fazer aqui. Mas, seja o que for, deve ir até o final.

Ela me olhou espantada.

– Quem é você?

Comecei a conversar sobre a revista feminina que estava lendo, e o homem, depois de algum tempo, resolveu levantar-se e sair. Agora eu podia dizer quem era.

– Se você quer saber minha profissão, formei-me em medicina há alguns anos. Mas não creio que essa seja a resposta que deseja ouvir.

Dei uma pausa.

– Seu próximo passo, portanto, será tentar, através de perguntas muito bem elaboradas, saber exatamente o que estou fazendo aqui, neste país que acaba de sair de anos de chumbo.

– Serei direta: o que veio fazer aqui?

Podia dizer: vim ao enterro de meu mestre, achei que ele merecia esta homenagem. Mas não seria prudente falar do tema; mesmo que ela não tivesse demonstrado nenhum interesse por vampiros, a palavra "mestre" chamaria sua atenção. Como meu juramento me impede de mentir, respondi com uma "meia verdade".

– Queria ver onde viveu um escritor chamado Mircea Eliade, de quem possivelmente você nunca ouviu falar. Mas Eliade, que passou grande parte de sua vida na França, era especialista em... digamos... mitos.

A moça olhou o relógio, fingindo desinteresse.

– E não estou falando de vampiros. Estou falando de gente... digamos... que segue o caminho que você está seguindo.

Ela ia beber seu café, e interrompeu o gesto.

– Você é do governo? Ou você é alguém que meus pais pediram para me seguir?

Fui eu quem ficou em dúvida sobre continuar a conversa; sua agressividade era absolutamente desnecessária. Mas eu podia ver sua aura, sua angústia. Ela se parecia muito comigo, quando eu tinha sua idade: ferimentos interiores e exteriores, que me empurraram a curar pessoas no plano físico, e ajudá-las a encontrar o caminho no plano espiritual. Quis dizer "suas feridas a ajudam, menina", pegar minha revista, e ir embora.

Se tivesse feito isso, talvez o caminho de Athena tivesse sido completamente diferente, e ela ainda estivesse viva, junto do homem que amava, cuidando de seu filho, vendo-o crescer, casar-se, enchê-la de netos. Seria rica, possivelmente proprietária de uma companhia de venda de imóveis. Ela tinha tudo, absolutamente tudo, para ser bem-sucedida; sofrera o bastante para saber utilizar suas cicatrizes a seu favor, e era apenas uma questão de tempo até conseguir diminuir sua ansiedade e seguir adiante.

Mas o que me manteve ali, sentada, procurando continuar a conversa? A resposta é muito simples: curiosidade. Não podia entender por que aquela luz brilhante estava ali, no *hall* frio de um hotel.

Continuei:

– Mircea Eliade escreveu livros com títulos estranhos: *Bruxaria e correntes culturais*, por exemplo. Ou *O conhecimento sagrado de todas as eras*. Meu mestre (disse sem querer, mas ela não escutou ou fingiu não ter notado) gostava muito de seu trabalho. E algo me diz, intuitivamente, que você se interessa pelo assunto.

Ela tornou a olhar o relógio.

– Estou indo para Sibiu – disse a moça. – Meu ônibus

parte daqui a uma hora, vou procurar minha mãe, se é isso que você deseja saber. Trabalho como corretora de imóveis no Oriente Médio, tenho um filho de quase quatro anos, sou divorciada, e meus pais vivem em Londres. Meus pais adotivos, claro, pois fui abandonada na infância.

Ela estava realmente em um estágio muito avançado de percepção – havia se identificado comigo, embora ainda não tivesse consciência disso.

– Sim, era isso que eu queria saber.

– Precisava vir tão longe para pesquisar um escritor? Não existem bibliotecas no lugar onde vive?

– Na verdade, tal escritor viveu na Romênia apenas até terminar a universidade. De modo que, se eu quisesse saber mais do seu trabalho, deveria ir para Paris, Londres, ou Chicago – onde faleceu. Portanto, o que estou fazendo não é a pesquisa no sentido clássico: quero ver onde colocou seus pés. Quero sentir o que o inspirou a escrever sobre coisas que afetam minha vida e a vida das pessoas que respeito.

– Ele escreveu também sobre medicina?

Melhor não responder. Vi que tinha notado a palavra "mestre", mas achava que estava relacionada à minha profissão.

A moça levantou-se. Penso que ela pressentia onde eu queria chegar – podia ver sua luz brilhando com mais intensidade. Só consigo entrar neste estado de percepção quando estou próxima de alguém muito parecida comigo.

– Se incomoda de me acompanhar até a estação? – perguntou.

De maneira nenhuma. Meu avião sairia apenas no final da noite, e um dia inteiro, aborrecido, interminável, estendia-se diante de mim. Pelo menos tinha com quem conversar um pouco.

Ela subiu, voltou com suas malas nas mãos e com uma

série de perguntas na cabeça. Começou seu interrogatório assim que saímos do hotel.

– Talvez eu nunca mais a veja – disse. – Mas sinto que temos alguma coisa em comum. Portanto, já que esta pode ser a última chance de conversarmos nesta encarnação, você se importaria de ser direta em suas respostas?

Eu concordei com um aceno de cabeça.

– Já que você leu esses livros, acredita que a dança pode nos levar a um transe, e nos fazer ver uma luz? E que esta luz não nos diz absolutamente nada, exceto se estamos contentes ou tristes?

Pergunta certa!

– Sem dúvida. Mas não apenas a dança; tudo aquilo em que conseguirmos concentrar a atenção, e nos permite separar o corpo do espírito. Como a ioga, ou a oração, ou a meditação dos budistas.

– Ou a caligrafia.

– Não tinha pensado nisso, mas é possível. Nestes momentos em que o corpo liberta a alma, ela sobe aos céus ou desce aos infernos, dependendo do estado de espírito da pessoa. Nos dois lugares, aprende coisas que precisa: seja destruir o seu próximo, seja curar. Mas já não me interesso mais por estes caminhos individuais; na minha tradição, preciso da ajuda de... você está prestando atenção no que digo?

– Não.

Vi que tinha parado no meio da rua, e olhava uma menina que parecia abandonada. Na mesma hora enfiou a mão em sua bolsa.

– Não faça isso – eu disse. – Olhe para o outro lado da calçada – ali tem uma mulher com os olhos de maldade. Ela colocou esta criança aí, para...

– Não me interessa.

A moça tirou algumas moedas. Eu segurei sua mão.

– Vamos convidá-la para comer alguma coisa. É mais útil.

Convidei a criança para ir até um bar, comprei um sanduíche, e entreguei-o. A menina sorriu e agradeceu; os olhos da mulher do outro lado da rua pareciam brilhar de ódio. Mas as pupilas cinzentas da moça que caminhava ao meu lado, pela primeira vez, demonstravam respeito pelo que eu acabara de fazer.

– O que você estava mesmo dizendo?

– Não importa. Sabe o que aconteceu há alguns minutos? Você entrou no mesmo transe que a dança provoca.

– Está errada.

– Estou certa. Algo tocou o seu inconsciente; talvez tenha visto a si mesma, se não tivesse sido adotada, mendigando nesta rua. Neste momento, seu cérebro parou de reagir. Seu espírito saiu, viajou para o inferno, encontrou-se com os demônios do seu passado. Por causa disso, não notou a mulher do outro lado da rua – estava em transe. Um transe desorganizado, caótico, que a empurrava a fazer algo teoricamente bom, mas praticamente inútil. Como se você estivesse...

– ... em um espaço em branco entre as letras. No momento que uma nota de música termina, e a outra ainda não começou.

– Exatamente. E um transe provocado desta maneira pode ser perigoso.

Quase disse: "Este é o tipo de transe provocado pelo medo: paralisa a pessoa, a deixa sem reação, seu corpo não responde, sua alma já não está mais ali. Você ficou aterrorizada por tudo que poderia ter acontecido caso o destino não tivesse colocado seus pais no caminho". Mas ela havia deixado as malas no chão, e me encarava de frente.

– Quem é você? Por que está me dizendo tudo isso?

– Como médica, me chamam de Deidre O'Neill. Muito prazer – e qual é o seu nome?

– Athena. Mas no passaporte está escrito Sherine Khalil.

– Quem lhe deu este nome?

– Ninguém importante. Mas não lhe perguntei seu nome: perguntei quem é. E porque se aproximou de mim. E por que eu senti a mesma necessidade de conversar com você. Será que foi o fato de sermos as duas únicas mulheres naquele bar? Não creio: e está me dizendo coisas que fazem sentido na minha vida.

Tornou a pegar as malas, e continuamos a caminhar em direção à estação de ônibus.

– Eu também tenho um segundo nome: Edda. Mas ele não foi escolhido ao acaso. Como tampouco creio que o acaso nos colocou juntas.

Diante de nós estava a porta da estação de ônibus, com várias pessoas entrando e saindo, militares em seus uniformes, camponeses, mulheres bonitas mas vestidas como se vivessem há cinqüenta anos.

– Se não foi o acaso, você acha que foi o quê?

Ainda faltava meia hora para que seu ônibus partisse, e eu podia ter respondido: foi a Mãe. Alguns espíritos escolhidos emitem uma luz especial, devem se encontrar, e você – Sherine ou Athena – é um destes espíritos, mas precisa trabalhar muito para usar esta energia em seu favor.

Podia ter explicado que estava seguindo o caminho clássico de uma feiticeira, que busca através da individualidade o seu contato com o mundo superior e inferior, mas termina sempre destruindo sua própria vida – serve, dá energia, e jamais a recebe de volta.

Podia ter explicado que, embora os caminhos sejam individuais, existe sempre a etapa onde as pessoas se unem, celebram juntas, discutem suas dificuldades, e se preparam para o Renascer da Mãe. Que o contato com a Luz Divina é a maior realidade que um ser humano pode experimentar, e mesmo assim, na minha tradição, este contato não podia ser feito de maneira solitária, porque existiam anos, séculos de perseguição, que nos ensinaram muitas coisas.

– Você não quer entrar para tomar um café enquanto espero o ônibus?

Não, eu não queria. Ia terminar dizendo coisas que, a esta altura, seriam mal interpretadas.

– Certas pessoas foram muito importantes na minha vida – continuou ela. – O proprietário do meu apartamento, por exemplo. Ou um calígrafo que conheci no deserto perto de Dubai. Quem sabe me diga coisas que eu possa dividir com eles, e retribuir tudo que me ensinaram.

Então, ela já tivera mestres em sua vida: ótimo! Seu espírito estava maduro. Tudo que precisava era continuar seu treinamento; caso contrário, iria terminar perdendo o que tinha conquistado. Mas seria eu a pessoa indicada?

Em uma fração de segundo, pedi que a Mãe me inspirasse, me dissesse algo. Não tive resposta – o que não me surpreendeu, porque Ela sempre agia assim quando eu precisava arcar com a responsabilidade de uma decisão.

Estendi meu cartão de visitas, e pedi o seu. Ela me deu um endereço de Dubai, que eu não tinha a menor idéia de onde ficava.

Resolvi brincar um pouco, e testar um pouco mais.

– Não é um pouco de coincidência que três ingleses se encontrem em um bar de Bucareste?

– Pelo que vejo no seu cartão, você é escocesa. O tal homem parece trabalhar na Inglaterra, mas eu não sei nada a respeito dele.

Respirou fundo.

– E eu sou... romena.

Expliquei que precisava voltar correndo para o hotel e arrumar minhas malas.

Agora ela sabia onde me encontrar, e, se estivesse escrito, nos veríamos de novo; é importante permitir que o destino interfira em nossas vidas, e decida o que é melhor para todos.

Vosho "Bushalo", 65 anos, dono de restaurante

Esses europeus chegam aqui achando que sabem de tudo, que merecem um melhor tratamento, que têm o direito de nos inundar de perguntas, e somos obrigados a respondê-las. Por outro lado, acham que trocando nosso nome para algo mais complicado, como "povo viajante", ou "os roma", podem corrigir os erros que cometeram no passado.

Por que não continuam nos chamando de ciganos, e procuram acabar com as lendas que sempre nos fizeram parecer malditos diante dos olhos do mundo? Nos acusam de frutos da união ilícita entre uma mulher e o próprio demônio. Dizem que um de nós forjou os cravos que pregaram o Cristo na cruz, que as mães deviam ter cuidado quando as nossas caravanas se aproximam, porque costumamos roubar crianças e transformá-las em escravas.

E por causa disso permitiram massacres ao longo da história – fomos caçados como as bruxas na Idade Média, durante séculos os tribunais alemães não aceitavam nosso testemunho. Quando o vento nazista varreu a Europa eu já havia nascido, e vi meu pai sendo deportado para um campo de concentração na Polônia, com o humilhante símbolo de um triângulo negro costurado em sua roupa. Dos 500.000 ciganos enviados para trabalho escravo, sobreviveram apenas 5.000 para contar a história.

E ninguém, absolutamente ninguém, quer escutar isso.

Nesta região esquecida da terra, onde a maior parte das tribos resolveu se instalar, até o ano passado nossa cultura, religião e língua eram proibidas. Se perguntarem a qualquer pessoa da cidade o que acham dos ciganos, dirão sem pensar muito: "São todos ladrões". Por mais que tentemos levar uma vida normal, deixando a eterna peregrinação e vi-

vendo em lugares onde poderemos ser facilmente identifi-
cados, o racismo continua. Meus filhos são obrigados a sentar-se nas filas de trás de suas salas de aula, e não há semana que não sejam insultados por alguém.

Depois reclamam que não respondemos diretamente às
perguntas, que procuramos nos disfarçar, que jamais comentamos abertamente nossas origens. Para que fazer isso?
Todo mundo sabe distinguir um cigano, e todo mundo sabe como se "proteger" das nossas "maldades".

Quando aparece uma menina metida a intelectual, sorrindo, dizendo que faz parte de nossa cultura e de nossa raça, eu logo me coloco de guarda. Pode ser um dos enviados da Securitate, a polícia secreta deste louco ditador, o
Conducator, o Gênio dos Cárpatos, o Líder. Dizem que ele
foi julgado e fuzilado, mas eu não acredito; seu filho ainda
tem poder nesta região, embora esteja desaparecido no momento.

A menina insiste; sorrindo – como se fosse muito engra-
çado o que está dizendo – afirma que sua mãe é cigana, e
que gostaria de encontrá-la. Tem o seu nome completo; como conseguiu obter tal informação sem o apoio da Securitate?

Melhor não irritar gente que tem contatos com o governo. Eu digo que não sei de nada, sou apenas um cigano que
resolveu estabelecer uma vida honesta, mas ela continua
insistindo; quer ver a mãe. Eu sei quem é, sei também que
há mais de vinte anos ela teve uma criança que entregou
a um orfanato, e não se teve mais notícias. Fomos forçados
a aceitá-la em nosso meio por causa daquele ferreiro que
se achava dono do mundo. Mas quem garante que a moça intelectual que está na minha frente é a filha de Liliana?
Antes de procurar saber quem é sua mãe, devia pelo menos respeitar alguns de nossos costumes, e não aparecer ves-

tida de vermelho, porque não é o dia do seu casamento. Devia usar saias mais longas, para evitar a luxúria dos homens. E nunca podia me dirigir a palavra da maneira que ela me dirigiu.

Se hoje falo dela no presente, é porque para aqueles que viajam o tempo não existe – apenas o espaço. Viemos de muito longe, uns dizem que da Índia, outros afirmam que nossa origem está no Egito, o fato é que carregamos o passado como se tivesse acontecido agora. E as perseguições ainda continuam.

A moça tenta ser simpática, mostra que conhece nossa cultura, quando isso não tem a menor importância; devia conhecer mesmo nossas tradições.

– Soube na cidade que o senhor é um Rom Baro, um chefe de tribo. Antes de vir até aqui, aprendi muito sobre a nossa história...

– Não é a "nossa", por favor. É a minha, da minha mulher, dos meus filhos, da minha tribo. Você é uma européia. Você jamais foi apedrejada na rua, como eu fui quando tinha cinco anos.

– Acho que as coisas estão melhorando.

– Sempre melhoraram, para piorar depois.

Mas ela não pára de sorrir. Pede um uísque; nossas mulheres nunca fariam isso.

Se tivesse entrado aqui apenas para beber, ou para procurar companhia, seria tratada como uma cliente. Eu aprendi a ser simpático, atencioso, elegante, porque meu negócio depende disso. Quando os freqüentadores de meu restaurante querem saber mais sobre ciganos, digo umas tantas coisas curiosas, aviso que escutem o conjunto que vai tocar daqui a pouco, comento dois ou três detalhes de nossa cultura, e saem daqui com a impressão de que conhecem tudo a respeito da gente.

Mas a moça não veio aqui em busca de turismo: ela afirma que faz parte da raça.

Ela me estende de novo o certificado que conseguiu do governo. Acho que o governo mata, rouba, mente, mas não se arrisca a fornecer certificados falsos, e que ela deve ser mesmo filha de Liliana, porque ali está o nome inteiro dela e o lugar onde vivia. Soube pela televisão que o Gênio dos Cárpatos, o Pai do Povo, o Conducator de todos nós, aquele que nos fez passar fome enquanto exportava tudo para o estrangeiro, o que tinha os palácios com talheres revestidos de ouro enquanto o povo morria de inanição, este homem com sua maldita mulher costumavam pedir que a Securitate percorresse orfanatos pegando bebês para serem treinados como assassinos pelo Estado.

Pegavam apenas os meninos, deixavam as meninas. Talvez seja mesmo a filha.

Olho de novo o certificado, e fico pensando se devo ou não dizer onde sua mãe se encontra. Liliana merece encontrar esta intelectual, dizendo que é "uma de nós". Liliana merece olhar esta mulher de frente; acho que já sofreu tudo que precisava sofrer depois que traiu seu povo, deitou-se com um *gaje* (*N.R.: estrangeiro*), envergonhou seus pais. Talvez seja o momento de terminar com seu inferno, ver que a filha sobreviveu, ganhou dinheiro, e poderá até ajudá-la a sair da miséria em que se encontra.

Talvez eu possa cobrar algo pela informação. E, no futuro, nossa tribo consiga alguns favores, porque vivemos tempos confusos, onde todos dizem que o Gênio dos Cárpatos está morto, chegam a mostrar cenas de sua execução, mas ele pode ressurgir amanhã, tudo não passou de um excelente golpe para ver quem estava do seu lado, e quem estava disposto a traí-lo.

Os músicos vão começar daqui a pouco, melhor falar de negócios.

– Sei onde esta mulher se encontra. E posso levá-la até ela.

O meu tom de conversa agora está mais simpático.

– Entretanto, acho que esta informação vale alguma coisa.

– Eu já estava preparada para isso – responde, estendendo muito mais dinheiro do que eu pensava pedir.

– Isso não dá nem para pagar o táxi até lá.

– Terá uma quantidade igual, quando eu tiver chegado ao meu destino.

E sinto que, pela primeira vez, ela vacila. Parece que tem medo de seguir adiante. Pego logo o dinheiro que depositou no balcão.

– Amanhã eu a levo até Liliana.

As mãos dela tremem. Ela pede outro uísque, mas de repente um homem entra no bar, muda de cor, e vem imediatamente em sua direção; entendo que devem ter se conhecido ontem e hoje já estão conversando como se fossem velhos amigos. Os seus olhos a desejam. Ela está plenamente consciente disso, e provoca ainda mais. O homem pede uma garrafa de vinho, os dois sentam-se em uma mesa, e parece que a história da mãe foi completamente esquecida.

Mas eu quero a outra metade do dinheiro. Quando vou entregar a bebida, pergunto em que hotel está hospedada, e digo que estarei ali às 10 horas da manhã.

Heron Ryan, jornalista

Logo na primeira taça de vinho, comentou – sem que eu perguntasse nada, claro – que tinha um namorado, policial da Scotland Yard. Claro que era mentira; devia ter lido meus olhos, e já estava procurando me afastar.

Respondi que tinha uma namorada, e fomos para o empate técnico.

Dez minutos depois da música ter começado, ela levantou-se. Tínhamos conversado muito pouco – nada de perguntas sobre minhas pesquisas sobre vampiros, apenas assuntos gerais, impressões sobre a cidade, reclamações sobre as estradas. Mas o que eu vi dali por diante – melhor dizendo, o que todo mundo no restaurante viu – foi uma deusa que se mostrava em toda a sua glória, uma sacerdotisa que evocava anjos e demônios.

Seus olhos estavam fechados, e ela parecia já não ter mais consciência de quem era, de onde estava, do que procurava do mundo; era como se flutuasse invocando o seu passado, revelando seu presente, descobrindo e profetizando o futuro. Misturava erotismo e castidade, pornografia e revelação, adoração de Deus e da natureza ao mesmo tempo.

As pessoas todas pararam de comer, e começaram a olhar o que estava acontecendo. Ela já não seguia a música, eram os músicos que procuravam acompanhar seus passos, e aquele restaurante no subsolo de um antigo edifício na cidade de Sibiu transformou-se em um templo egípcio, onde as adoradoras de Ísis costumavam reunir-se para seus ritos de fertilidade. O odor da carne assada e do vinho mudou para um incenso que nos elevava ao mesmo transe, à mesma experiência de sair do mundo e entrar em uma dimensão desconhecida.

Os instrumentos de corda e de sopro já não tocavam mais, apenas a percussão continuou. Athena dançava como se não estivesse mais ali, o suor pingando do rosto, os pés descalços batendo com força no chão de madeira. Uma mulher levantou-se e, gentilmente, amarrou um lenço em seu pescoço e seus seios, já que sua blusa ameaçava toda hora escorregar do ombro. Mas ela pareceu não notar, estava em outras esferas, experimentava as fronteiras de mundos que quase tocam no nosso, mas que nunca se deixam revelar.

As pessoas no restaurante começaram a bater palmas para acompanhar a música, e Athena dançava com mais velocidade, captando a energia daquelas palmas, girando em torno de si mesma, equilibrando-se no vazio, arrebatando tudo que nós, pobres mortais, devíamos oferecer à divindade suprema.

E, de repente, parou. Todos pararam, inclusive os músicos que tocavam a percussão. Seus olhos ainda continuavam fechados, mas lágrimas rolavam pelo rosto. Levantou os braços para os céus, e gritou:

– Quando eu morrer, enterrem-me de pé, porque vivi de joelhos toda a minha vida!

Ninguém disse nada. Ela abriu os olhos como se despertasse de um sono profundo, e caminhou para a mesa, como se nada tivesse acontecido. A orquestra voltou a tocar, casais ocuparam a pista tentando divertir-se, mas o ambiente do local parecia ter sido transformado por completo; logo as pessoas pagaram suas contas e começaram a sair do restaurante.

– Está tudo bem? – perguntei, quando vi que já estava recuperada do esforço físico.

– Tenho medo. Descobri como chegar onde não queria.

– Quer que a acompanhe?

Ela fez que "não" com a cabeça. Mas perguntou em que hotel eu estava. Dei-lhe o endereço.

Nos dias que se seguiram, terminei minhas pesquisas para o documentário, mandei o meu intérprete de volta para Bucareste com o carro alugado e, a partir daquele momento, fiquei em Sibiu apenas porque queria encontrá-la de novo. Embora tenha sempre sido alguém guiado pela lógica, capaz de entender que o amor pode ser construído e não simplesmente descoberto, sabia que se não tornasse mais a vê-la estaria deixando para sempre na Transilvânia uma parte importante de minha vida, embora só muito mais tarde viesse a descobrir isso. Lutei contra a monotonia, daquelas horas sem fim, mais de uma vez fui até a estação para saber os horários de ônibus para Bucareste, gastei em telefonemas para a BBC e para minha namorada mais do que o meu pequeno orçamento de produtor independente permitia. Explicava que o material ainda não estava pronto, que faltavam algumas coisas, talvez um dia a mais, talvez uma semana, os romenos eram muito complicados, sempre ficavam revoltados quando alguém associava a linda Transilvânia à horrorosa história de Drácula. Os produtores pareceram finalmente convencer-se, e me deixaram ficar além do tempo necessário.

Estávamos hospedados no único hotel da cidade, e um dia ela apareceu, me viu de novo no *hall*, nosso primeiro encontro parece ter voltado à sua cabeça; desta vez me convidou para sair, e procurei conter minha alegria. Talvez eu também fosse importante em sua vida.

Mais tarde descobri que a frase que dissera no final de sua dança era um antigo provérbio cigano.

Liliana, costureira, idade e sobrenome desconhecidos

Falo no presente porque para nós não existe tempo, apenas espaço. Porque parece ontem.

O único costume tribal que não segui foi o de ter o homem ao meu lado no momento de Athena nascer. Mas as parteiras vieram, mesmo sabendo que eu tinha dormido com um *gaje*, um estrangeiro. Soltaram meus cabelos, arrancaram o cordão umbilical, deram vários nós, e me entregaram. Neste momento, a tradição mandava que a criança fosse envolta em uma peça de roupa do seu pai; ele tinha deixado um lenço, que me lembrava seu perfume, que de vez em quando eu aproximava do meu nariz para senti-lo perto, e agora este perfume iria desaparecer para sempre.

Eu a envolvi no lenço e a coloquei no solo, para que recebesse a energia da Terra. Fiquei ali, sem saber o que sentir, o que pensar; minha decisão já estava tomada.

Elas disseram que eu escolhesse um nome, e que não dissesse para ninguém – só podia ser pronunciado depois que a menina fosse batizada. Entregaram-me óleo consagrado, e os amuletos que devia colocar em seu pescoço duas semanas depois. Uma delas disse que não me preocupasse, a tribo inteira era responsável por ela, e que eu devia me acostumar com as críticas – isso iria passar logo. Aconselharam-me também a não sair entre o entardecer e a aurora, porque os tsinvari (*N.R.: espíritos malignos*) podiam nos atacar e nos possuir, e a partir daí nossa vida seria uma tragédia.

Uma semana depois, assim que o sol nasceu, fui até um centro de adoção em Sibiu para colocá-la na soleira da porta, esperando que uma mão caridosa viesse recolhê-la. Quando ia fazendo isso, uma enfermeira me pegou e me levou para dentro. Ofendeu-me o quanto pôde, disse que já estavam preparados para esse tipo de comportamento: sempre alguém ficava vigiando, eu não podia escapar assim tão facilmente da responsabilidade de trazer uma criança ao mundo.

– Claro, não se pode esperar outra coisa de uma cigana: abandonar seu filho!

Fui obrigada a preencher uma ficha com todos os dados, e, como não sabia escrever, ela repetiu mais uma vez: "Claro, uma cigana. E não tente nos enganar fornecendo dados falsos, ou poderá ir parar na cadeia". Por medo, terminei contando a verdade.

Eu a olhei uma última vez, e tudo que consegui pensar foi: "Menina sem nome, que você encontre amor, muito amor em sua vida".

Saí e fiquei caminhando pela floresta durantes horas. Me lembrava das muitas noites durante a gravidez, onde amava e odiava a criança e o homem que a colocou dentro de mim.

Como toda mulher, vivi com o sonho de encontrar o príncipe encantado, casar-me, encher minha casa de filhos e minha família de cuidados. Como grande parte das mulheres, terminei me apaixonando por um homem que não podia me dar isso – mas com quem dividi momentos que jamais esquecerei. Momentos que eu não poderia fazer com que a criança entendesse, ela seria sempre estigmatizada no seio de nossa tribo, uma *gaje*, uma menina sem pai. Eu poderia suportar, mas não queria que ela passasse pelo mesmo sofrimento que eu vinha passando desde que descobri que estava grávida.

Chorava e arranhava a mim mesma, pensando que a dor

talvez me fizesse pensar menos, voltar para a vida, para a vergonha da tribo; alguém tomaria conta da menina, e eu sempre viveria com a idéia de revê-la um dia, quando estivesse grande.

Sentei-me no chão, agarrei-me em uma árvore sem conseguir parar de chorar. Mas, quando as minhas lágrimas e o sangue dos meus ferimentos tocaram seu caule, uma estranha calma tomou conta de mim. Parecia que eu escutava uma voz dizendo que não me preocupasse, que o meu sangue e minhas lágrimas haviam purificado o caminho da menina e diminuído o meu sofrimento. Desde então, sempre que entro em desespero, me lembro desta voz, e me tranqüilizo.

Por isso, não foi surpresa vê-la chegar com o Rom Baro de nossa tribo – que pediu café, bebida, sorriu com ironia, e logo foi embora. A voz me dissera que ela voltaria, e agora está aqui, na minha frente. Bonita, parecida com o pai, não sei o que sente por mim – talvez ódio por tê-la abandonado um dia. Não preciso explicar por que fiz isso; ninguém no mundo poderia mesmo compreender.

Ficamos uma eternidade sem dizer nada uma para a outra, apenas olhando – sem sorrir, sem chorar, sem nada. Um surto de amor sai do fundo da minha alma, não sei se está interessada no que sinto.

– Você está com fome? Quer comer algo?

O instinto. Sempre o instinto em primeiro lugar. Ela faz que "sim" com a cabeça. Entramos no pequeno quarto onde vivo – e que serve ao mesmo tempo de sala, dormitório, cozinha, e ateliê de costura. Ela olha para aquilo tudo, está espantada, mas finjo que não notei: vou até o fogão, volto com dois pratos da espessa sopa de vegetais e gordura animal. Preparo um café forte, e, quando vou colocar açúcar, escuto sua primeira frase:

– Puro, por favor. Não sabia que falava inglês.

Ia dizer "foi seu pai", mas me controlei. Comemos em silêncio, e, à medida que o tempo vai passando, tudo começa a me parecer familiar, estou ali com minha filha, ela caminhou o mundo e agora está de volta, conheceu outros caminhos e retorna para casa. Sei que é uma ilusão, mas a vida me deu tantos momentos de dura realidade, que não custa sonhar um pouco.

– Quem é esta santa? – aponta para um quadro na parede.

– Santa Sarah, a padroeira dos ciganos. Sempre quis visitar sua igreja, na França, mas não podemos sair daqui. Não conseguiria passaporte, permissão, e...

Ia dizer: "Mesmo que conseguisse, não teria dinheiro", mas interrompi a frase. Ela podia achar que estava lhe pedindo algo.

– ... e estou muito ocupada com meu trabalho.

O silêncio retorna. Ela termina a sopa, acende um cigarro, seu olhar não demonstra nada, nenhum sentimento.

– Você achou que tornaria a me ver de novo?

Respondo que sim. E soube ontem, pela mulher do Rom Baro, que ela estava em seu restaurante.

– Uma tempestade se aproxima. Você não quer dormir um pouco?

– Não escuto nenhum ruído. O vento não está soprando nem mais forte, nem mais fraco do que antes. Prefiro conversar.

– Acredite em mim. Tenho o tempo que quiser, tenho a vida que me resta para estar ao seu lado.

– Não diga isso agora.

– ... mas você está cansada – continuo, fingindo que não ouvi seu comentário. Vejo a tempestade que se aproxima. Como toda e qualquer tempestade, ela traz destruição; mas ao mesmo tempo molha os campos, e a sabedoria do céu desce junto com a sua chuva. Como toda e qualquer tempestade, ela deve passar. Quanto mais violenta, mais rápida.

Graças a Deus, aprendi a enfrentar tempestades.

E, como se as Santas Marias do Mar me escutassem, começam a cair as primeiras gotas no teto de zinco. A moça termina seu cigarro, eu a pego pelas mãos, conduzo até minha cama. Ela deita-se e fecha os olhos.

Não sei quanto tempo dormiu; eu a contemplava sem pensar em nada, e a voz que um dia havia escutado na floresta me dizia que estava tudo bem, que não devia me preocupar, que as mudanças que o destino provoca nas pessoas são favoráveis se soubermos decifrar o que elas contêm. Não sei quem a havia recolhido do orfanato, a educado, a transformado na mulher independente que parecia ser. Fiz uma prece por essa família que havia permitido à minha filha sobreviver e melhorar de vida. No meio da prece, senti ciúme, desespero, arrependimento, e parei de conversar com Santa Sarah; será que tinha sido realmente importante trazê-la de volta? Ali estava tudo que eu perdi e jamais poderia recuperar.

Mas ali também estava a manifestação física de meu amor. Eu não sabia de nada, e ao mesmo tempo tudo me era revelado, voltavam as cenas em que eu pensei em suicídio, considerei o aborto, imaginei-me deixando aquele canto do mundo e seguindo a pé até onde minhas forças agüentassem, o momento em que vi meu sangue e minhas lágrimas na árvore, a conversa com a natureza que se intensificou a partir deste momento, e jamais me deixou desde então – embora pouca gente da minha tribo soubesse disso. O meu protetor, que me encontrou vagando na floresta, era capaz de entender tudo isso, mas ele acabara de morrer.

"A luz é instável, apaga-se com o vento, acende-se com

o raio, nunca está ali, brilhando como o sol – mas vale a pena lutar por ela", dizia ele.

O único que me havia aceitado, e convencido a tribo de que eu podia tornar a fazer parte daquele mundo. O único com autoridade moral suficiente para evitar que eu fosse expulsa.

E, infelizmente, o único que não iria jamais conhecer a minha filha. Chorei por ele, enquanto ela permanecia imóvel na minha cama, ela que devia estar acostumada com todo o conforto do mundo. Milhares de perguntas voltaram – quem eram seus pais adotivos, onde vivia, se tinha feito a universidade, se amava alguém, quais os seus planos. Entretanto não tinha sido eu quem correra o mundo atrás dela, mas o contrário; portanto, eu não estava ali para fazer perguntas, e sim para respondê-las.

Ela abriu os olhos. Pensei em tocar seu cabelo, dar-lhe o carinho que havia guardado durante todos estes anos, mas fiquei sem saber sua reação, e achei melhor controlar-me.

– Você veio até aqui para saber o motivo...

– Não. Não quero saber por que uma mãe abandona sua filha; não existe motivo para isso.

Suas palavras cortam meu coração, mas eu não sei como responder.

– Quem sou eu? Que sangue corre em minhas veias? Ontem, depois que soube que podia encontrá-la, experimentei um estado completo de terror. Por onde começo? Você, como todas as ciganas, deve saber ler o futuro nas cartas, não é verdade?

– Não é verdade. Só fazemos isso com os *gaje*, os estrangeiros, como meio de ganhar a vida. Jamais lemos cartas, mãos, ou tentamos prever o futuro quando estamos com nossa tribo. E você...

– ...sou parte da tribo. Mesmo que a mulher que me trouxe ao mundo tenha me enviado para longe.

– Sim.

– Então, o que estou fazendo aqui? Já vi seu rosto, posso voltar para Londres, minhas férias estão no final.

– Quer saber sobre seu pai?

– Não tenho o menor interesse.

E de repente eu entendi em que podia ajudá-la. Foi como se uma voz alheia saísse de minha boca:

– Entenda melhor o sangue que corre nas minhas veias, e no seu coração.

Era o meu mestre que falava através de mim. Ela voltou a fechar os olhos, e dormiu quase doze horas seguidas.

No dia seguinte eu a conduzi aos arredores de Sibiu, onde tinham feito um museu com casas de toda a região. Pela primeira vez tivera o prazer de preparar seu café-da-manhã. Estava mais descansada, menos tensa, e me perguntava coisas sobre a cultura cigana, embora jamais procurasse saber sobre mim. Comentou também um pouco de sua vida; soube que era avó! Não falou do marido nem dos pais adotivos. Disse que vendia terrenos em um lugar muito distante dali, e que em breve deveria retornar ao seu trabalho.

Expliquei que podia ensiná-la a fazer amuletos para prevenir o mal, e não demonstrou nenhum interesse. Mas, quando falei de ervas que curavam, ela pediu que lhe mostrasse como reconhecê-las. No jardim por onde passeávamos procurei passar todo o conhecimento que possuía, embora tivesse certeza que ia esquecer tudo assim que retornasse à sua terra natal – que agora eu já sabia ser Londres.

– Não possuímos a terra: é ela que nos possui. Como antigamente viajávamos sem parar, tudo que nos cercava era nosso: as plantas, a água, as paisagens pelas quais nossas caravanas passavam. Nossas leis eram as leis da natureza: os mais fortes sobrevivem, e nós, os fracos, os eternos exilados, aprendemos a esconder nossa força, para usá-la somente no momento necessário.

"Acreditamos que Deus não fez o universo; Deus é o universo, nós estamos Nele, e ele está em nós. Embora..."

Parei. Mas decidi continuar, porque esta era uma maneira de homenagear meu protetor.

– ... na minha opinião, devíamos chamá-lo de Deusa. De Mãe. Não da mulher que abandona sua filha em um orfanato, mas Daquela que está em nós, e que nos protege quando estamos em perigo. Estará sempre conosco enquanto fizermos nossas tarefas diárias com amor, alegria, entendendo que nada é sofrimento, tudo é uma maneira de louvar a Criação.

Athena – agora eu já sabia seu nome – desviou o olhar para uma das casas que estavam no jardim.

– O que é aquilo? Uma igreja?

As horas que havia passado ao seu lado tinham me permitido recobrar as forças; perguntei se queria mudar de assunto. Ela refletiu um momento, antes de responder.

– Quero continuar escutando o que tem para me dizer. Embora, pelo que entendi em tudo que li antes de vir para cá, isso que você me diz não combina com a tradição dos ciganos.

– Foi meu protetor quem me ensinou. Porque sabia coisas que os ciganos não sabem, obrigou a tribo a me aceitar de novo em seu meio. E, à medida que aprendia com ele, ia me dando conta do poder da Mãe – logo eu, que tinha recusado esta bênção.

Agarrei um pequeno arbusto com as mãos.

– Se algum dia o seu filho estiver com febre, coloque-o junto de uma planta jovem, e sacuda suas folhas: a febre será passada para a planta. Caso sinta-se angustiada, faça a mesma coisa.

– Prefiro que continue me contando sobre seu protetor.

– Ele me dizia que no início a Criação era profundamente solitária. Então gerou alguém com quem conversar. Estes dois, em um ato de amor, fizeram uma terceira pessoa, e a partir daí tudo se multiplicou por milhares, milhões. Você perguntou sobre a igreja que acabamos de ver: não sei sua origem, e não me interessa, meu templo é o jardim, o céu, a água do lago e do riacho que o alimenta. Meu povo são pessoas que dividem a mesma idéia comigo, e não aquelas a quem estou ligada por laços de sangue. Meu ritual é estar com esta gente, celebrando tudo que está à minha volta. Quando você pretende voltar para casa?

– Talvez amanhã. Desde que não esteja incomodando.

Outra ferida no meu coração, mas eu não podia dizer nada.

– Fique o tempo que quiser. Perguntei apenas porque gostaria de celebrar com os outros a sua chegada. Posso fazer isso hoje à noite, se concordar.

Ela não diz nada, e entendo que é um "sim". Voltamos para casa, eu a alimento de novo, ela explica que precisa ir até o hotel em Sibiu pegar algumas roupas, quando volta já organizei tudo. Vamos para uma colina ao sul da cidade, sentamos em volta da fogueira que acaba de ser acesa, tocamos instrumentos, cantamos, bailamos, contamos histórias. Ela assiste a tudo sem participar de nada, embora o Rom Baro tenha dito que era uma excelente dançarina. Pela primeira vez em todos estes anos eu estou alegre, porque pude preparar um ritual para minha filha e celebrar com ela o milagre de ambas estarmos vivas, com saúde, mergulhadas no amor da Grande Mãe.

No final, diz que aquela noite vai dormir no hotel. Pergunto se estamos nos despedindo, ela diz que não. Voltará amanhã.

Durante toda uma semana, eu e minha filha dividimos a adoração do universo. Em uma destas noites, ela trouxe um amigo, mas fazendo questão de explicar que não era o seu amado, nem o pai de sua filha. O homem, que devia ter dez anos a mais que ela, perguntou a quem estávamos celebrando em nossos rituais. Expliquei que adorar alguém significava – segundo meu protetor – colocar esta pessoa fora de nosso mundo. Não estamos adorando nada, apenas comungando com a Criação.

– Mas vocês rezam?

– Pessoalmente, eu rezo para Santa Sarah. Mas aqui nós somos parte de tudo, celebramos em vez de rezar.

Achei que Athena tinha ficado orgulhosa com minha resposta. Na verdade eu estava apenas repetindo as palavras de meu protetor.

– E por que fazem isso em conjunto, já que podemos celebrar sozinhos nosso contato com o universo?

– Porque os outros são eu. E eu sou os outros.

Neste momento, Athena me olhou, e eu senti que foi minha vez de cortar o seu coração.

– Estou indo embora amanhã – ela disse.

– Antes de ir, venha despedir-se de sua mãe.

Foi a primeira vez, ao longo de todos estes dias, que eu usei este termo. Minha voz não tremeu, meu olhar manteve-se firme, e eu sabia que, apesar de tudo, ali estava o sangue do meu sangue, o fruto do meu ventre. Naquele momento eu me comportava como uma menina que acaba de compreender que o mundo não está cheio de fantasmas e maldições, como os adultos nos ensinaram; está repleto de amor, independente de como ele se manifeste. Um amor que perdoa seus erros, e que redime seus pecados.

Ela me abraçou por um longo tempo. Em seguida, ajeitou o véu com que cubro meus cabelos – embora não tives-

se um marido, a tradição cigana dizia que eu devia usá-lo,
já que não era mais virgem. O que o amanhã reservava para mim, além da partida de um ser que sempre amei e te-
mi à distância? Eu era todos, e todos eram eu e minha solidão.

No dia seguinte Athena apareceu com um ramo de flores, arrumou meu quarto, disse que eu devia usar óculos porque meus olhos estavam ficando desgastados com a costura. Perguntou se os amigos com quem celebrava não
terminavam tendo problemas com a tribo, eu disse que
não, que meu protetor fora um homem respeitado, aprendera o que muitos de nós não sabíamos, tinha discípulos no
mundo inteiro. Expliquei que morrera pouco antes dela
chegar.

– Certo dia, um gato aproximou-se e tocou-o com seu corpo. Para nós, isso significava morte e todos ficamos preocupados; mas existe um ritual para cortar tal malefício.

"Entretanto, meu protetor disse que já era tempo de partir, precisava viajar pelos mundos que ele sabia existir, voltar a renascer como criança, e antes repousar um pouco no
colo da Mãe. Seu funeral foi simples, em uma floresta aqui
perto, mas veio gente do mundo inteiro assistir."

– Entre estas pessoas, uma mulher de cabelos pretos,
próxima dos 35 anos?

– Não me lembro exatamente, mas é possível que sim. Por
que quer saber?

– Encontrei alguém em um hotel de Bucareste, que disse que viera para o funeral de um amigo. Acho que mencionou algo como "seu mestre".

Pediu-me que contasse mais sobre os ciganos, mas não
havia muito que não soubesse. Principalmente porque, além
dos hábitos e tradições, quase não conhecemos nossa história. Sugeri que um dia fosse até a França, e levasse em meu

nome uma saia para a imagem de Sarah no vilarejo francês de Saintes-Maries-de-la-Mer.

– Vim até aqui porque faltava algo na minha vida.
Precisava preencher meus espaços em branco, e achei que
a simples visão do seu rosto fosse o suficiente. Mas não foi;
precisava também entender que... tinha sido amada.

– Você é amada.

Dei uma longa pausa: tinha finalmente colocado em palavras o que gostaria de dizer desde que a deixei ir embora. Para evitar que ficasse comovida, continuei:

– Gostaria de lhe pedir uma coisa.

– O que quiser.

– Quero pedir perdão.

Ela mordeu os lábios.

– Sempre fui uma pessoa muito agitada. Trabalho muito, cuido demais do meu filho, danço como uma louca,
aprendi caligrafia, freqüento cursos de aperfeiçoamento de
vendas, leio um livro atrás do outro. Tudo para evitar aqueles momentos em que nada acontece, porque estes espaços
em branco me traziam uma sensação de vazio absoluto, onde não existe nem uma simples migalha de amor. Meus pais
sempre fizeram tudo por mim, e penso que não canso de
os decepcionar.

"Mas aqui, enquanto ficamos juntas, nos momentos em
que celebrei a natureza e a Grande Mãe com você, entendi que os tais espaços vazios começavam a ser preenchidos.
Transformaram-se em pausas – o momento em que o homem levanta a mão do tambor, antes de tocá-lo de novo com
força. Acho que posso ir; não digo que irei em paz, porque
minha vida precisa de um ritmo com o qual estou acostumada. Mas tampouco irei com amargura. Todos os ciganos acreditam na Grande Mãe?

– Se você perguntar, nenhum dirá que sim. Adotaram as

crenças e os costumes dos lugares onde foram se instalando. Entretanto, a única coisa que nos une na religião é adorar Santa Sarah, e peregrinar pelo menos uma vez na vida até onde está seu túmulo, em Saintes-Maries-de-la-Mer. Algumas tribos a chamam de Kali Sarah, a Sarah Negra. Ou a Virgem dos Ciganos, como é conhecida em Lourdes.

– Preciso ir – disse Athena depois de um tempo. – O amigo que você conheceu outro dia irá me acompanhar.

– Parece um bom homem.

– Você está falando como mãe.

– Sou sua mãe.

– Sou sua filha.

Ela me abraçou, desta vez com lágrimas nos olhos. Eu afaguei os seus cabelos, enquanto a mantinha entre meus braços como sempre sonhara, desde que um dia o destino – ou o meu medo – nos separou. Pedi que se cuidasse, e ela respondeu que tinha aprendido muito.

– Irá aprender mais ainda porque, embora todos nós estejamos hoje presos a casas, cidades, empregos, ainda corre em seu sangue o tempo das caravanas, as viagens, e os ensinamentos que a Grande Mãe colocava em nosso caminho, de modo que pudéssemos sobreviver. Aprenda, mas aprenda sempre com gente ao seu lado. Não fique sozinha nesta busca: se estiver dando um passo errado, não terá ninguém que a ajude a corrigi-lo.

Ela continuava chorando, abraçada a mim, quase me pedindo para ficar. Implorei ao meu protetor que não me deixasse verter nenhuma lágrima, porque eu queria o melhor para Athena, e seu destino era seguir adiante. Aqui na Transilvânia, além do meu amor, não encontraria mais nada. E embora eu ache que o amor é suficiente para justificar toda uma existência, tinha absoluta certeza que não podia pedir que sacrificasse o seu futuro para ficar ao meu lado.

Athena me deu um beijo na testa e foi embora sem dizer adeus, talvez pensando que um dia iria voltar. Todos os natais me enviava dinheiro suficiente para passar o ano inteiro sem precisar costurar; jamais fui ao banco receber seus cheques, embora todos da tribo achassem que eu estava agindo como uma mulher ignorante.

Há seis meses, parou de enviar. Deve ter compreendido que preciso da costura para preencher aquilo que ela chamava de "espaços brancos".

Por mais que gostaria de vê-la uma vez mais, sei que não voltará nunca; neste momento deve ser uma grande executiva, casada com o homem que ama, devo ter muitos netos, o meu sangue continuará nesta terra, e os meus erros serão perdoados.

Samira R. Khalil, dona de casa

Assim que Sherine entrou em casa dando gritos de alegria, agarrando e apertando um assustado Viorel, entendi que tudo havia corrido melhor do que eu imaginava. Senti que Deus havia escutado minhas preces, e ela agora já não tinha nada mais a descobrir sobre si mesma, podia finalmente adaptar-se a uma vida normal, criar seu filho, casar-se de novo, e deixar de lado toda aquela ansiedade que a deixava eufórica e deprimida ao mesmo tempo.

– Eu te amo, mamãe.

Foi minha vez de agarrá-la e apertá-la em meus braços. Durante algumas daquelas noites em que esteve fora, confesso que fiquei aterrorizada com a idéia de que enviasse alguém para buscar Viorel, e nunca mais voltassem.

Depois de comer, tomar banho, contar sobre o encontro com a mãe de sangue, descrever as paisagens da Transilvânia (eu não me lembrava direito, já que estava apenas em busca de um orfanato), eu perguntei quando voltava para Dubai

– Na semana que vem. Antes preciso ir à Escócia encontrar uma pessoa.

– Um homem!

– Uma mulher – ela continuou, possivelmente notando meu sorriso de cumplicidade. – Sinto que tenho uma missão. Descobri coisas que não julgava existirem enquanto celebrava a vida e a natureza. O que julgava encontrar apenas na dança está por toda parte. E tem um rosto de mulher: eu vi na...

Fiquei assustada. Disse que sua missão era educar o filho, tentar ser melhor em seu trabalho, ganhar mais dinheiro, casar-se de novo, respeitar Deus tal como O conhecemos.

Mas Sherine não estava me escutando direito.

– Foi durante uma noite em que estávamos sentados em torno da fogueira, bebendo, rindo com histórias, escutando música. Exceto por uma vez no restaurante, todos os dias que passei ali não senti necessidade de dançar, como se estivesse acumulando energia para alguma coisa diferente. De repente senti que tudo à minha volta estava vivo, palpitando – eu e a Criação éramos uma coisa só. Chorei de alegria quando as chamas na fogueira pareceram transformar-se no rosto de uma mulher, cheia de compaixão, sorrindo para mim.

Tive um arrepio; feitiçaria cigana, com toda certeza. E ao mesmo tempo me voltou a imagem da menina na escola, que dizia ter visto "uma mulher de branco".

– Não se deixe levar por estas coisas, que são do demônio. Você sempre teve bons exemplos em nossa família, será que não pode simplesmente levar uma vida normal?

Pelo visto eu havia me precipitado ao julgar que a viagem em busca da mãe biológica lhe fizera bem. Mas, ao invés de reagir com a agressividade de sempre, ela continuou sorrindo:

– O que é normal? Por que papai vive sobrecarregado de trabalho, se já temos dinheiro suficiente para manter três gerações? É um homem honesto, merece o que ganha, mas sempre diz, com certo orgulho, que está sobrecarregado de trabalho. Para quê? Onde quer chegar?

– É um homem que dignifica sua vida.

– Quando vivia com vocês, sempre que chegava em casa ele perguntava pelos meus deveres, me dava uns quantos exemplos de como seu trabalho era necessário para o mundo, ligava a televisão, fazia comentários sobre a situação política no Líbano, antes de dormir lia um ou outro livro técnico, vivia sempre ocupado.

"E com você a mesma coisa; eu era a mais bem vestida na escola, levava-me às festas, cuidava da arrumação da casa, sempre foi gentil, amorosa, e me deu uma educação impecável. Mas e agora, que a velhice está chegando: o que pretendem fazer com a vida, já que cresci e sou independente?"

– Vamos viajar. Correr o mundo, desfrutar de nosso merecido descanso.

– Por que já não começam a fazer isso, quando ainda têm saúde?

Já havia me perguntado a mesma coisa. Mas sentia que meu marido precisava do seu trabalho – não pelo dinheiro, mas pela necessidade de ser útil, provar que um exilado também honra seus compromissos. Quando tirava férias e permanecia na cidade, sempre dava um jeito de ir até o escritório, conversar com os amigos, tomar esta ou aquela decisão que poderia esperar. Procurava forçá-lo a ir ao teatro, ao cinema, aos museus, ele fazia tudo o que eu pedia, mas sentia que isso o aborrecia; seu único interesse era a firma, o trabalho, os negócios.

Pela primeira vez conversei com ela como se fosse uma amiga, e não minha filha – mas usando uma linguagem que não me comprometesse, e que ela pudesse entender facilmente.

– Você está dizendo que seu pai também procura preencher isso que chama de "espaços em branco"?

– No dia em que ele se aposentar, embora eu acredite que esse dia jamais chegará, pode ter certeza que irá entrar em depressão. O que fazer desta liberdade tão arduamente conquistada? Todos o cumprimentarão pela brilhante carreira, pela herança que nos deixou, pela integridade com que dirigiu sua firma. Mas ninguém terá tempo para ele – a vida continua seu curso, e todos estão imersos nela. Papai vai sentir-se de novo um exilado, só que desta vez não terá um país para se refugiar.

— Você tem alguma idéia melhor?

— Tenho apenas uma: não quero que isso aconteça comigo. Sou agitada demais, e não me compreenda mal, não estou de maneira nenhuma culpando o exemplo que me deram. Mas preciso mudar.

"Mudar rápido."

Deidre O'Neill, conhecida como Edda

Sentada na completa escuridão.

O menino, é claro, saiu imediatamente da sala – a noite é o reino do terror, dos monstros do passado, da época em que andávamos como os ciganos, como meu antigo mestre – que a Mãe tenha compaixão de sua alma, e que ele esteja sendo cuidado com carinho, até o momento de voltar.

Athena não sabe o que fazer desde que apaguei a luz. Pergunta pelo filho, digo que não se preocupe, deixe por minha conta. Saio, ligo a televisão, coloco em um canal de desenhos animados, tiro o som; o menino fica hipnotizado, e pronto, o assunto está resolvido. Fico pensando como deveria ser no passado, porque as mulheres vinham para o mesmo ritual de que Athena devia participar agora, traziam seus filhos, e não havia televisão. O que faziam as pessoas que estavam ali para ensinar?

Bem, não é meu problema.

O que o garoto está experimentando em frente à televisão – uma porta para uma realidade diferente – é a mesma coisa que vou provocar em Athena. Tudo é tão simples, e ao mesmo tempo tão complicado! Simples, porque basta mudar de atitude: não vou mais buscar felicidade. A partir de agora sou independente, vejo a vida com os meus olhos, e não com o de outros. Vou buscar a aventura de estar viva.

E complicado: por que não vou procurar a felicidade, se as pessoas me ensinaram que este é o único objetivo que vale a pena? Por que vou me arriscar em caminho onde outros não se arriscam?

Afinal de contas, o que é felicidade?

Amor, respondem. Mas amor não traz, nem nunca trouxe felicidade. Muito pelo contrário, é sempre uma angústia, um campo de batalha, muitas noites em claro, perguntando-nos se estamos agindo corretamente. O verdadeiro amor é feito de êxtase e agonia.

Paz, então. Paz? Se olharmos a Mãe, ela jamais está em paz. O inverno luta com o verão, o sol e a lua nunca se encontram, o tigre persegue o homem, que tem medo do cão, que persegue o gato, que persegue o rato, que assusta o homem.

Dinheiro traz felicidade. Muito bem: então todas as pessoas que têm o bastante para viver com um altíssimo padrão de vida, poderiam parar de trabalhar. Mas continuam mais agitadas que antes, como se temessem perder tudo. Dinheiro traz mais dinheiro, isso é verdade. Pobreza pode trazer infelicidade, mas o contrário não é verdadeiro.

Eu busquei felicidade muito tempo de minha vida – agora eu quero mesmo é alegria. Alegria é como sexo; começa e acaba. Eu quero prazer. Eu quero estar contente – mas felicidade? Parei de cair nesta armadilha.

Quando estou com um grupo de pessoas e resolvo provocar usando uma das questões mais importantes de nossa existência, todas dizem: "Sou feliz".

Continuo: "Mas você não deseja ter mais, não quer continuar a crescer?". Todas respondem: "Claro".

Insisto: "Então não é feliz". Todas mudam de assunto.

Melhor voltar a esta sala onde Athena está agora. Escura. Ela escuta meus passos, o fósforo que é riscado, e uma vela é acesa.

– Tudo que nos cerca é o Desejo Universal. Não é a felicidade; é um desejo. E os desejos sempre são incompletos – quando são preenchidos, deixam de ser desejos, não é verdade?

– Onde está meu filho?

– Seu filho está bem, vendo televisão. Quero que olhe apenas para esta vela, e não fale, não diga nada. Apenas acredite.

– Acreditar que...

– Pedi que não dissesse nada. Acredite, simplesmente – não tenha dúvida de nada. Você está viva, e esta vela é o único ponto do seu universo – creia nisso. Esqueça para sempre esta idéia de que o caminho é uma maneira de chegar a um destino: na verdade, estamos sempre chegando a cada passo. Repita isso todas as manhãs: "Eu cheguei". Verá que vai ser muito mais fácil estar em contato com cada segundo do seu dia.

Dei uma pausa.

– A chama da vela está iluminando seu mundo. Pergunte a ela: "Quem sou eu?".

Esperei mais um pouco. E continuei:

– Imagino sua resposta: sou fulana de tal, vivi estas e aquelas experiências. Tenho um filho, trabalho em Dubai. Agora torne a indagar à vela: "Quem não sou eu?".

De novo esperei. E de novo continuei:

– Você deve ter respondido: eu não sou uma pessoa contente. Eu não sou uma típica mãe de família, que se preocupa apenas com o filho, com o marido, com ter uma casa com um jardim e um lugar onde passar as férias todo verão. Acertei? Pode falar.

– Acertou.

– Então estamos no caminho certo. Você é – como eu sou – uma pessoa insatisfeita. Sua "realidade" não combina com a "realidade" dos outros. E você tem medo que seu filho siga o mesmo caminho, não é verdade?

– Tenho.

– Mesmo assim, sabe que não pode parar. Luta, mas não consegue controlar suas dúvidas. Veja bem esta vela: no momento, ela é seu universo; concentra sua atenção, ilumina um pouco ao seu redor. Respire fundo, prenda o ar dentro dos pulmões o máximo de tempo possível, e expire. Repita isso cinco vezes.

Ela obedeceu.

– Este exercício deve ter acalmado sua alma. Agora lembre-se do que eu disse: acredite. Acredite que é capaz, que já chegou onde queria. Em um dado momento de sua vida, como contou em nosso chá hoje à tarde, disse que havia mudado o comportamento das pessoas no banco onde trabalhava, porque as havia ensinado a dançar. Não é verdade.

"Você mudou tudo, porque você mudou sua realidade com a dança. Acreditou nesta história do Vértice, que me parece interessante, embora eu jamais tenha escutado falar a respeito. Gostava de dançar, acreditava no que estava fazendo. Não se pode acreditar em algo que não se gosta, entendeu?"

Athena fez um sinal afirmativo com a cabeça, mantendo os olhos fixos na chama da vela.

– A fé não é um desejo. A fé é uma Vontade. Desejos sempre são coisas para serem preenchidas, Vontade é uma força. Vontade muda o espaço à nossa volta, como você fez com o trabalho no banco. Mas, para isso, é necessário Desejo. Por favor, concentre-se na vela!

"Seu filho saiu daqui e foi ver televisão, porque o escuro lhe faz medo. E qual o motivo? No escuro, podemos projetar qualquer coisa, e geralmente projetamos apenas nossos fantasmas. Isso vale para crianças e para adultos. Levante seu braço direito lentamente."

O braço se moveu até o alto. Eu pedi que fizesse a mesma coisa com o braço esquerdo. Olhei bem os seus seios – muito mais bonitos que os meus.

— Pode abaixar, mas também lentamente. Feche os olhos, respire fundo, eu vou acender a luz. Pronto: terminou o ritual. Vamos até a sala.

Ela levantou-se com dificuldade — as pernas tinham ficado dormentes por causa da postura que lhe havia indicado.

Viorel já havia dormido; eu desliguei a televisão, fomos para a cozinha.

— Para que serviu tudo isso? — perguntou.

— Apenas para retirá-la da realidade cotidiana. Podia ter sido qualquer coisa aonde pudesse fixar sua atenção, mas eu gosto do escuro e da chama de uma vela. Enfim, você está me perguntando onde quero chegar, não é verdade?

Athena comentou que tinha viajado quase três horas de trem, com o filho nos braços, precisando arrumar a mala para voltar ao emprego; podia ter ficado olhando uma vela no seu quarto, não precisava ter vindo até a Escócia.

— Precisava sim — respondi. — Para saber que não está sozinha, que outras pessoas estão em contato com a mesma coisa que você. O simples fato de entender isso lhe permite acreditar.

— Acreditar em quê?

— Que está no caminho certo. E como eu disse antes: chegando a cada passo.

— Que caminho? Achei que, ao buscar minha mãe na Romênia, eu finalmente teria encontrado a paz de espírito que tanto precisava, e não encontrei. De que caminho está falando?

— Disso eu não tenho a menor idéia. Você só descobrirá quando começar a ensinar. Voltando a Dubai, arranje um discípulo ou uma discípula.

— Ensinar dança ou caligrafia?

— Estas coisas você já sabe. Precisa ensinar aquilo que não sabe. Aquilo que a Mãe deseja revelar através de você.

Ela me olhou, como se eu tivesse enlouquecido.

– Isso mesmo – insisti. – Por que pedi que levantasse os braços, e respirasse fundo? Para você achar que eu sabia algo mais que você. Mas não é verdade; era apenas uma maneira de tirá-la do mundo a que está acostumada. Não pedi que você agradecesse à Mãe, que dissesse o quanto é maravilhosa, e que seu rosto brilha nas chamas de uma fogueira. Pedi apenas o gesto absurdo e inútil de levantar os braços, e concentrar a atenção em uma vela. Isso é suficiente – tentar, sempre que possível, fazer algo que não está de acordo com a realidade que nos cerca.

"Quando começar a criar rituais para o seu discípulo fazer, estará sendo guiada. Aí o aprendizado começa, assim dizia meu protetor. Se quiser ouvir minhas palavras, muito bem. Se não quiser, continue sua vida como ela está neste momento, e vai terminar batendo em uma parede chamada 'insatisfação'."

Chamei um táxi, conversamos um pouco sobre moda e homens, e Athena partiu. Eu tinha absoluta certeza que iria me escutar, principalmente porque fazia parte deste tipo de pessoas que nunca renunciam a um desafio.

– Ensine as pessoas a serem diferentes. Só isso! – gritei, enquanto o táxi se afastava.

Isso é alegria. Felicidade seria estar satisfeita com tudo que já tinha – um amor, um filho, um emprego. E Athena, da mesma maneira que eu, não nasceu para este tipo de vida.

Heron Ryan, jornalista

Claro que eu não admitia estar apaixonado; tinha uma namorada que me amava, me completava, dividia comigo os momentos difíceis e as horas de alegria.

Todos os encontros e acontecimentos em Sibiu faziam parte de uma viagem; não era a primeira vez que isso acontecia quando estava fora de casa. As pessoas, quando se afastam do seu mundo, tendem a se tornar mais aventureiras, já que as barreiras e preconceitos ficaram distantes.

Ao voltar para a Inglaterra, a primeira coisa que fiz foi dizer que o tal documentário sobre o Drácula histórico era uma bobagem, um simples livro de um irlandês louco que tivera a capacidade de dar uma péssima imagem da Transilvânia, um dos lugares mais bonitos do planeta. Evidente que os produtores não ficaram nem um pouco satisfeitos, mas a esta altura não me importava com a opinião deles: deixei a televisão, e fui trabalhar para um dos jornais mais importantes do mundo.

Foi quando comecei a me dar conta que gostaria de encontrar-me de novo com Athena.

Telefonei, marcamos para dar um passeio antes que ela voltasse para Dubai. Ela aceitou, mas disse que gostaria de guiar-me por Londres.

Entramos no primeiro ônibus que parou no ponto, sem perguntar em que direção estava indo, escolhemos uma senhora que estava ali por acaso, e dissemos que saltaríamos no mesmo lugar que ela. Descemos em Temple, passamos por um mendigo que nos pedia esmola, e não demos – seguimos adiante enquanto escutávamos seus insultos, entendendo que esta era apenas uma forma de comunicar-se conosco.

Vimos alguém tentando destruir uma cabine telefônica; pensei em chamar a polícia, mas Athena me impediu; talvez tivesse acabado de terminar uma relação com o amor de sua vida e precisava descarregar tudo o que sentia. Ou, quem sabe, não tinha com quem conversar, e não podia permitir que os outros o humilhassem, usando aquele telefone para falar de negócios ou de romance.

Mandou-me fechar os olhos e descrever exatamente a roupa que nós dois estavamos usando; para minha surpresa, acertei apenas alguns detalhes.

Perguntou o que me lembrava de minha mesa de trabalho; disse que ali estavam papéis que eu tinha preguiça de colocar em ordem.

– Já imaginou que estes papéis têm vida, sentimentos, pedidos, histórias para contar? Acho que você não está dando à vida a atenção que ela merece.

Prometi que iria rever um por um quando retornasse ao jornal, no dia seguinte.

Um casal de estrangeiros, com um mapa, pediu informações sobre determinado monumento turístico. Athena deu indicações precisas, mas completamente erradas.

– Você apontou uma direção diferente!

– Não tem a menor importância. Eles vão se perder, e nada melhor que isso para descobrir lugares interessantes.

– Faça algum esforço para encher de novo sua vida com um pouco de fantasia; acima de nossas cabeças existe um céu a que a humanidade inteira, em milhares de anos de observação, já deu uma série de explicações razoáveis. Esqueça o que aprendeu a respeito das estrelas, e elas se transformaram de novo em anjos, ou em crianças, ou em qualquer coisa que sinta vontade de acreditar no momento. Isso não o tornará mais estúpido: é apenas uma brincadeira, mas pode enriquecer sua vida.

No dia seguinte, quando voltei ao jornal, cuidei de cada papel como se fosse uma mensagem dirigida diretamente a mim, e não à instituição que represento. Ao meio-dia, fui conversar com o secretário de redação, e sugeri escrever uma matéria sobre a Deusa que os ciganos veneravam. Acharam ótima a idéia, e fui designado para ver as festas na Meca dos ciganos, Saintes-Maries-de-la-Mer.

Por incrível que pareça, Athena não teve o menor desejo de acompanhar-me. Dizia que seu namorado – o tal policial fictício, que usava para manter-me à distância – não ficaria muito contente se soubesse que estava viajando com outro homem.

– Mas você não prometeu à sua mãe levar um manto para a santa?

– Prometi, caso a cidade estivesse no meu caminho. Mas não está. Se algum dia passar por ali, cumpro a promessa.

Como iria voltar para Dubai no domingo seguinte, foi com seu filho para a Escócia, rever a mulher que nós dois tínhamos encontrado em Bucareste. Eu não me lembrava de ninguém, mas, assim como existia o tal "namorado fantasma", talvez a "mulher fantasma" fosse outra desculpa, e resolvi não pressionar muito. Mas senti ciúme, como se preferisse estar com outras pessoas.

Estranhei meu sentimento. E decidi que, se fosse preciso ir até o Oriente Médio para fazer uma matéria sobre o *boom* imobiliário que alguém no setor de economia do jornal dizia que estava acontecendo, eu passaria a estudar tudo sobre terrenos, economia, política, e petróleo – desde que isso me aproximasse de Athena.

Saintes-Maries-de-la-Mer rendeu um excelente artigo. Segundo a tradição, Sarah era cigana que vivia na pequena cidade à beira-mar, quando a tia de Jesus, Maria Salomé, junto com outros refugiados, chegou ali para escapar das

perseguições romanas. Sarah ajudou-os, e terminou conver-
tendo-se ao cristianismo.

Na festa a que pude assistir, peças do esqueleto de duas
mulheres que estão enterradas debaixo do altar são retira-
das de um relicário e levantadas para abençoar a multidão
de caravanas que chegam de todos os cantos da Europa com
suas roupas coloridas, suas músicas e instrumentos. Depois,
a imagem de Sarah, com belíssimos mantos, é retirada de
um local perto da igreja – já que o Vaticano jamais a cano-
nizou – e levada em procissão até o mar através das ruelas
cobertas de rosas. Quatro ciganos, vestidos com roupas tra-
dicionais, colocam as relíquias em um barco cheio de flores, entram na água, e repetem a chegada das fugitivas, e o
encontro com Sarah. A partir daí, tudo é música, festa,
cantos, e demonstrações de coragem diante de um touro.

Um historiador, Antoine Locadour, me ajudou a completar a matéria com informações interessantes a respeito da
Divindade Feminina. Enviei para Dubai as duas páginas escritas para o caderno de turismo do jornal. Tudo que recebi foi uma resposta amável, agradecendo a atenção, sem qualquer outro comentário.

Pelo menos eu havia confirmado que seu endereço existia.

Antoine Locadour, 74 anos, historiador, I.C.P., França

É fácil identificar Sarah como mais uma das muitas virgens negras que podem ser encontradas no mundo. Sara-la-Kali, diz a tradição, vinha de uma nobre linhagem, e conhecia os segredos do mundo. Seria, no meu entender, mais uma das muitas manifestações do que chamam a Grande Mãe, a Deusa da Criação.

E não me surpreende que cada vez mais pessoas se interessem pelas tradições pagãs. Por quê? Porque o Deus Pai é sempre associado com o rigor e a disciplina do culto. A Deusa Mãe, pelo contrário, mostra a importância do amor acima de todas as proibições e tabus que conhecemos.

O fenômeno não é novidade: sempre que a religião endurece suas normas, um grupo significativo de pessoas tende a ir em busca de mais liberdade no contato espiritual. Isso aconteceu durante a Idade Média, quando a Igreja Católica limitava-se a criar impostos e construir conventos cheios de luxo; como reação, assistimos ao surgimento de um fenômeno chamado "feitiçaria", que, apesar de reprimido por causa de seu caráter revolucionário, deixou raízes e tradições que conseguiram sobreviver todos estes séculos.

Nas tradições pagãs, o culto da natureza é mais importante que a reverência aos livros sagrados; a Deusa está em tudo, e tudo faz parte da Deusa. O mundo é apenas uma expressão de sua bondade. Existem muitos sistemas filosóficos – como o taoísmo ou o budismo – que eliminam a idéia da distinção entre o criador e a criatura. As pessoas não tentam mais decifrar o mistério da vida, e sim fazer parte dele; também no taoísmo e no budismo, mesmo sem a figura feminina, o princípio central afirma que "tudo é uma coisa só".

No culto da Grande Mãe, o que chamamos de "pecado", geralmente uma transgressão de códigos morais arbitrários, deixa de existir; sexo e costumes são mais livres, porque fazem parte da natureza, e não podem ser considerados como frutos do mal.

O novo paganismo mostra que o homem é capaz de viver sem uma religião instituída, e ao mesmo tempo continuar na busca espiritual para justificar sua existência. Se Deus é mãe, então tudo que é necessário é juntar-se e adorá-la através de ritos que procuram satisfazer sua alma feminina – como a dança, o fogo, a água, o ar, a terra, os cantos, a música, as flores, a beleza.

A tendência vem crescendo de maneira gigantesca nos últimos anos. Talvez estejamos diante de um momento muito importante na história do mundo, quando finalmente o Espírito se integra com a Matéria, os dois se unificam, e se transformam. Ao mesmo tempo, estimo que haverá uma reação muito violenta das instituições religiosas organizadas, que começam a perder fiéis. O fundamentalismo deve crescer, e instalar-se em todos os cantos.

Como historiador, me contento em coletar dados e analisar esta confrontação entre a liberdade de adorar e a obrigação de obedecer. Entre o Deus que controla o mundo e a Deusa que é parte do mundo. Entre as pessoas que se unem em grupos em que a celebração é feita de modo espontâneo, e aquelas que vão se fechando em círculos onde aprendem o que deve e o que não deve ser feito.

Gostaria de estar otimista, de achar que finalmente o ser

humano encontrou seu caminho para o mundo espiritual. Mas os sinais não são tão positivos assim: uma nova perseguição conservadora, como já aconteceu muitas vezes no passado, pode sufocar novamente o culto da Mãe.

Andrea McCain, atriz de teatro

É muito difícil tentar ser imparcial, recontar uma história que começou com admiração e terminou com rancor. Mas vou tentar, vou sinceramente fazer um esforço para descrever a Athena que vi pela primeira vez em um apartamento em Victoria Street.

Tinha acabado de voltar de Dubai, com dinheiro e com vontade de dividir tudo que conhecia a respeito dos mistérios da magia. Desta vez, ficara apenas quatro meses no Oriente Médio: vendeu terrenos para a construção de dois supermercados, ganhou uma gigantesca comissão, disse que conseguira dinheiro para cuidar de si e de seu filho nos três anos seguintes, e poderia voltar a trabalhar sempre que quisesse – agora era o momento de aproveitar o presente, viver o que lhe restava da juventude, e ensinar tudo o que tinha aprendido.

Me recebeu sem muito entusiasmo:

– O que deseja?

– Faço teatro e iremos montar uma peça sobre o rosto feminino de Deus. Soube por um amigo jornalista que você esteve no deserto e nas montanhas dos Bálcãs, junto com os ciganos, e tem informações a respeito.

– Veio até aqui aprender sobre a Mãe apenas para uma peça?

– E você aprendeu por que razão?

Athena parou, me olhou de alto a baixo, e sorriu:

– Está certa. Essa foi minha primeira lição como mestra: ensine a quem desejar aprender. O motivo não importa.

– Como?

– Nada.

– A origem do teatro é sagrada. Começou na Grécia, com hinos a Dionísio, o deus do vinho, do renascimento, e da fertilidade. Mas acredita-se que desde épocas remotas os seres humanos tinham um ritual onde fingiam ser outras pessoas, e desta maneira procuravam a comunicação com o sagrado.

– Segunda lição, obrigado.

– Não estou entendendo. Vim aqui para aprender, não para ensinar.

Aquela mulher estava começando a me deixar irritada. Talvez estivesse sendo irônica.

– Minha protetora...

– Protetora?

– ... um dia explico. Minha protetora disse que só iria aprender o que preciso, se fosse provocada. E, desde que voltei de Dubai, você foi a primeira pessoa que apareceu para me mostrar isso. Faz sentido o que ela disse.

Expliquei que, no processo de pesquisa para a peça de teatro, tinha ido de um mestre a outro. Mas nada havia de excepcional em seus ensinamentos – exceto o fato de que minha curiosidade ia aumentando à medida que eu progredia no assunto. Disse também que as pessoas que lidavam com o tema pareciam confusas, e não sabiam exatamente o que queriam.

– Como por exemplo?

O sexo, por exemplo. Em alguns dos lugares a que fui, era completamente proibido. Em outros, não apenas era totalmente livre, como às vezes estimulavam orgias. Ela pediu mais detalhes – e eu não compreendi se fazia isso para me testar, ou se não conhecia nada do que estava se passando.

Athena continuou antes que eu pudesse responder à sua pergunta.

– Quando você dança, sente desejo? Sente que está provocando uma energia maior? Quando você dança, existem momentos em que deixa de ser você?

Fiquei sem saber o que dizer. Na verdade, nas boates e nas festas de amigos, a sensualidade estava sempre presente na dança – eu começava por provocar, gostava de ver os olhares de desejo dos homens, mas à medida que a noite avançava parecia entrar mais em contato comigo, o fato de estar seduzindo ou não alguém deixava de fazer muita diferença...

Athena continuou.

– Se o teatro é um ritual, a dança também. Além disso, é uma maneira ancestral de aproximar-se do parceiro. Como se os fios que nos conectam com o resto do mundo ficassem limpos do preconceito e dos medos. Quando você dança, pode se dar ao luxo de ser você.

Comecei a escutá-la com respeito.

– Depois, voltamos a ser quem éramos antes; pessoas assustadas, tentando ser mais importantes do que acham que são.

Exatamente como eu me sentia. Ou será que todos experimentam a mesma coisa?

– Você tem namorado?

Lembrei-me que, em um dos lugares em que tinha ido para aprender a "Tradição de Gaia", um dos "druidas" havia me pedido para que fizesse amor na frente dele. Ridículo e assustador – como é que estas pessoas ousavam utilizar a busca espiritual para seus propósitos mais sinistros?

– Você tem namorado ? – ela repetiu.

– Tenho.

Athena não disse mais nada. Apenas colocou a mão nos lábios, pedindo que eu ficasse quieta.

E de repente me dei conta que era extremamente difícil para mim estar em silêncio diante de uma pessoa que você acaba de conhecer. A tendência é falar sobre qualquer coisa – o tempo, os problemas com o trânsito, os melhores restaurantes. Estávamos as duas sentadas no sofá de sua sala completamente branca, com um aparelho de CD e uma pequena estante onde ficavam guardados os discos. Não via livros por nenhuma parte – nem quadros nas paredes. Como já havia viajado, esperava encontrar objetos e lembranças do Oriente Médio.

Mas era vazio, e agora o silêncio.

Os olhos cinzentos estavam fixos nos meus, mas fiquei firme e não desviei meu olhar. Instinto, talvez. Maneiras de dizer que não estamos assustados, mas encarando de frente o desafio. Só que, com o silêncio e a sala branca, o ruído do tráfego lá fora, tudo começou a parecer irreal. Quanto tempo íamos ficar ali, sem dizer nada?

Comecei a acompanhar meus pensamentos; eu chegara ali em busca de material para a minha peça, ou queria mesmo o conhecimento, a sabedoria, os... poderes? Não conseguia definir o que tinha me levado a uma...

A uma quê? Uma bruxa?

Meus sonhos de adolescente voltaram à tona: quem não gostaria de encontrar-se com uma bruxa de verdade, aprender magia, ser olhada com respeito e temor por suas amigas? Quem, como jovem, não se sentiu injustiçada pelos séculos de repressão da mulher, e sentia que esta era a melhor maneira de resgatar a identidade perdida? Embora eu já tivesse passado esta fase, era independente, fazia o que gostava em um terreno tão competitivo como o teatro, por que jamais estava contente, precisava testar sempre minha... curiosidade?

Devíamos ter mais ou menos a mesma idade... ou eu era mais velha? Será que ela também tinha um namorado?

Athena se moveu em direção a mim. Agora estávamos separadas por menos de um braço, e comecei a sentir medo. Seria lésbica?

Embora não desviasse os olhos, sabia onde estava a porta e podia sair na hora que quisesse. Ninguém tinha me obrigado a ir até aquela casa, encontrar alguém que nunca vira na minha vida, e ficar ali perdendo tempo, sem dizer nada, sem aprender absolutamente coisa nenhuma. Aonde ela queria chegar?

No silêncio, talvez. Meus músculos começaram a ficar tensos. Eu estava sozinha, desprotegida. Eu precisava desesperadamente conversar, ou fazer com que minha mente parasse de me dizer que tudo estava me ameaçando. Como podia saber quem sou? Somos o que falamos!

Ela não perguntou sobre minha vida? Quis saber se eu tinha namorado, não é verdade? Eu tentei falar mais de teatro, mas não consegui. E as histórias que ouvi, de sua ascendência cigana, de seu encontro na Transilvânia, a terra dos vampiros?

Os pensamentos não paravam: quanto iria custar aquela consulta? Fiquei apavorada, devia ter perguntado antes. Uma fortuna? E se não pagasse, será que ela me jogaria um encantamento que terminaria por destruir-me?

Senti o impulso de levantar-me, agradecer, mas dizer que não tinha vindo ficar em silêncio. Se você vai a um psiquiatra, tem que falar. Se vai a uma igreja, escuta um sermão. Se busca a magia, encontra um mestre que quer lhe explicar o mundo e lhe dá uma série de rituais. Mas silêncio? E por que me incomodava tanto?

Era uma pergunta atrás da outra – eu não conseguia parar de pensar, querer descobrir uma razão para estarmos ali as duas, sem dizer nada. De repente, talvez depois de longos cinco ou dez minutos sem que nada se movesse, ela sorriu.

Eu sorri também, e relaxei.

– Tente ser diferente. Apenas isso.

– Apenas isso? Ficar em silêncio é ser diferente? Imagino que neste minuto existem milhares de almas aqui em Londres que estão loucas para ter alguém com quem conversar, e tudo que você me diz é que silêncio faz diferença?

– Agora que você está falando e reorganizando o universo, terminará se convencendo que está certa, e eu estou errada. Mas você viu: ficar em silêncio é diferente.

– E desagradável. Não ensina nada.

Ela pareceu não se importar com minha reação.

– Em que teatro você trabalha?

Finalmente minha vida começava a ter interesse! Eu voltava à condição de ser humano, com profissão e tudo! Convidei-a para assistir à peça que estava sendo exibida naquele momento – foi a única maneira que encontrei de me vingar, mostrando que era capaz de coisas que Athena não sabia fazer. Aquele silêncio havia me deixado com um gosto de humilhação na boca.

Perguntou se podia levar o filho, eu respondi que não – era para adultos.

– Bem, posso deixar com minha mãe; faz muito tempo que não vou a um teatro.

Não cobrou nada pela consulta. Quando me encontrei com os outros membros de minha equipe, contei meu encontro com a misteriosa criatura; ficaram absolutamente curiosos em conhecer alguém que, no primeiro contato, tudo que pede é para ficar em silêncio.

Athena apareceu no dia marcado. Assistiu à peça, foi ao camarim me cumprimentar, não disse se havia gostado ou não. Meus colegas sugeriram que a convidasse para o bar a que costumávamos ir após o espetáculo. Ali, ao invés de ficar quieta desta vez, começou a falar de uma pergunta que ficara sem resposta em nosso primeiro encontro:

– Ninguém, nem mesmo a Mãe, jamais desejaria que a

atividade sexual fosse praticada apenas por celebração; o amor precisa estar presente. Você disse que andou encontrando gente deste tipo, não é verdade? Tome cuidado.

Meus amigos não entenderam nada, mas gostaram do assunto, e começaram a bombardeá-la com perguntas. Algo me incomodava: suas respostas eram muito técnicas, como se não tivesse muita experiência sobre o que estava falando. Comentou o jogo de sedução, os ritos de fertilidade, e terminou por uma lenda grega – com certeza porque eu lhe dissera em nosso primeiro encontro que na Grécia estavam as origens do teatro. Devia ter passado a semana inteira lendo sobre o assunto.

– Depois de milênios de dominação masculina, estamos de volta ao culto da Grande Mãe. Os gregos a chamavam de Gaia, e conta o mito que ela nasceu do Caos, o vazio que imperava antes no universo. Com ela, veio Eros, o deus do amor, e logo gerou o Mar e o Céu.

– Quem foi o pai? – perguntou um dos meus amigos.

– Ninguém. Existe um termo técnico, chamado partenogênese, que significa ser capaz de dar à luz sem a interferência masculina. Existe também um termo místico, a que estamos mais acostumados: a Imaculada Conceição.

"De Gaia vieram todos os deuses que mais tarde iriam povoar os Campos Elísios da Grécia – inclusive o nosso caro Dionísio, o ídolo de vocês. Mas, à medida que o homem ia se afirmando como o principal elemento político nas cidades, Gaia foi caindo no esquecimento, sendo substituída por Júpiter, Marte, Apolo, Saturno – todos muito competentes, mas sem o mesmo encanto que a Mãe que tudo originou."

Em seguida, fez um verdadeiro questionário a respeito de nosso trabalho. O diretor perguntou se não queria nos dar algumas lições.

– Sobre o quê?

– Sobre o que você sabe.

– Para falar a verdade, aprendi sobre as origens do teatro durante a semana. Aprendo tudo à medida que preciso, foi isso que me disse Edda.

Confirmado!

– Mas posso dividir com vocês outras coisas que a vida me ensinou.

Todos concordaram. Ninguém perguntou quem era Edda.

Deidre O'Neill, conhecida como Edda

Eu dizia para Athena: não precisa ficar vindo até aqui o tempo todo só para perguntar bobagens. Se um grupo resolveu aceitá-la como professora, por que não usa esta chance para transformar-se em mestra?

Faça o que eu sempre fiz.

Procure sentir-se bem quando estiver achando que é a última das criaturas. Não acredite que está mal: deixe que a Mãe possua o seu corpo e sua alma, entregue-se através da dança ou do silêncio, ou das coisas comuns da vida – como levar o filho à escola, preparar o jantar, ver se a casa está bem arrumada. Tudo é adoração – se você estiver com a mente concentrada no momento presente.

Não tente convencer ninguém a respeito de nada. Quando não souber, pergunte ou vá pesquisar. Mas, à medida que agir, seja como um rio que flui, silencioso, entregando-se a uma energia maior. Acredite – foi isso que lhe disse em nosso primeiro encontro.

Acredite que é capaz.

No início, vai ficar confusa, insegura. Depois, vai achar que todos pensam que estão sendo enganados. Não é nada disso: você sabe, apenas precisa estar consciente. Todas as mentes do planeta são facilmente sugestionáveis para o pior, temem a doença, a invasão, o assalto, a morte: tente devolver-lhes a alegria perdida.

Seja clara.

Reprograme-se a cada minuto do dia com pensamentos que a façam crescer. Quando estiver irritada, confusa, procure rir de você mesma. Ria alto, ria muito com esta mulher que está se preocupando, se angustiando, achando que seus problemas são os mais importantes do mundo. Ria desta situação patética, porque você é a manifestação da Mãe, e ainda acredita que Deus é homem, cheio de regras. No fundo, a maioria dos nossos problemas se resume a isso: seguir regras.

Concentre-se.

Se não achar nada para focalizar seu interesse, concentre-se na respiração. Por aí, por seu nariz, está entrando o rio de luz da Mãe. Escute as batidas do coração, siga os pensamentos que não consegue controlar, controle a vontade de levantar-se imediatamente e fazer algo de "útil". Fique sentada alguns minutos por dia sem fazer nada, aproveite o máximo que puder.

Quando estiver lavando pratos, reze. Agradeça pelo fato de que tem pratos para lavar; isso significa que ali já esteve comida, que alimentou alguém, que cuidou de uma ou mais pessoas com carinho – cozinhou, colocou a mesa. Imagine quantos milhões de pessoas neste momento não têm absolutamente nada para lavar, ou ninguém para quem preparar a mesa.

Evidente que outras mulheres dizem: eu não vou lavar pratos, os homens que lavem. Pois eles que lavem se quiserem, mas não veja nisso uma igualdade de condições. Não há nada de errado em fazer coisas simples – embora, se amanhã eu publicasse um artigo com tudo que penso, iriam dizer que estou trabalhando contra a causa feminina.

Que bobagem! Como se lavar pratos, ou usar sutiã, ou abrir e fechar portas, fosse algo que humilhasse minha condição de mulher. Na verdade, eu adoro quando um homem me abre a porta: na etiqueta está escrito "ela precisa que eu faça isso, porque ela é frágil", mas na minha alma está escrito "sou tratada como uma deusa, sou uma rainha".

Eu não estou aqui para trabalhar pela causa feminina,

porque tanto os homens como as mulheres são uma manifestação da Mãe, a Unidade Divina. Ninguém pode ser
maior do que isso.

Adoraria poder vê-la dando aulas sobre o que está aprendendo; esse é o objetivo da vida – a revelação! Você trans-
forma-se em um canal, escuta a si mesma, se surpreende
com o que é capaz. Lembra do trabalho no banco? Talvez
jamais tenha entendido, mas era a energia fluindo pelo seu
corpo, seus olhos, suas mãos.

Você diria: "Não é bem assim, era a dança".

A dança funciona simplesmente como um ritual. O que
é um ritual? É transformar o que é monótono em algo que
seja diferente, ritmado, e possa canalizar a Unidade. Por isso eu insisto: seja diferente até lavando pratos. Mova as
mãos de modo que jamais estejam repetindo o mesmo gesto – embora mantenham a cadência.

Se achar que ajuda, procure visualizar imagens; flores,
pássaros, árvores em uma floresta. Não imagine coisas iso-
ladas, como a vela em que concentrou sua atenção quando veio aqui a primeira vez. Procure pensar em algo que
seja coletivo. E sabe o que vai notar? Que você não decidiu o seu pensamento.

Vou dar um exemplo com os pássaros: imagine um ban-
do de pássaros voando. Quantos pássaros viu? Onze, dezenove, cinco? Você tem uma idéia, mas não sabe o número
exato. Então, de onde partiu este pensamento? Alguém o
colocou ali. Alguém que sabe o número exato de pássaros,
árvores, pedras, flores. Alguém que, nestas frações de segundo, toma conta de você e mostra Seu poder.

Você é o que acredita ser.

Não fique repetindo, como estas pessoas que acreditam
em "pensamento positivo", que é amada, forte, ou capaz.
Não precisa se dizer isso, porque já sabe. E quando duvida

– penso que isso deve acontecer com muita freqüência neste estágio de evolução – faça aquilo que sugeri. Em vez de
tentar provar que é melhor do que pensa, simplesmente ria.
Ria de suas preocupações, de suas inseguranças. Veja com
humor as suas angústias. No início é difícil, mas aos poucos você se acostuma.

Agora, volte e vá ao encontro de toda esta gente que pensa que você sabe tudo. Convença-se de que eles têm razão
– porque todos nós sabemos tudo, é apenas uma questão
de acreditar nisso.

Acredite.

Os grupos são muito importantes, comentei com você em
Bucareste, na primeira vez que nos vimos. Porque eles nos
obrigam a melhorar; se você estiver sozinha, tudo que pode fazer é rir de si mesma; mas, se estiver com outros, irá
rir e agir logo em seguida. Os grupos nos desafiam. Os grupos nos permitem selecionar nossas afinidades. Os grupos
provocam uma energia coletiva, onde o êxtase é muito mais
fácil, porque uns contagiam os outros.

Evidente que os grupos também são capazes de nos destruir. Mas isso faz parte da vida, esta é a condição humana: viver com os outros. E, se uma pessoa não conseguiu desenvolver bem seu instinto de sobrevivência, então não
entendeu nada do que a Mãe está dizendo.

Você tem sorte, menina. Um grupo acaba de pedir que
ensine algo – e isso a transformará em mestra.

Heron Ryan, jornalista

Antes do primeiro encontro com os atores, Athena veio à minha casa. Desde que eu publicara o artigo sobre Sarah, estava convencida que eu entendia seu mundo – o que não é absolutamente verdade. Meu único interesse era chamar sua atenção. Embora eu tentasse aceitar que podia haver uma realidade invisível capaz de interferir em nossas vidas, o único motivo que me levava a isso era um amor que eu não aceitava, mas que continuava se desenvolvendo de maneira sutil e devastadora.

E eu estava satisfeito com meu universo, não queria de maneira nenhuma mudar, embora estivesse sendo empurrado para isso.

– Tenho medo – disse ela assim que entrou. – Mas preciso seguir adiante, fazer o que me pedem. Preciso acreditar.

– Você tem uma grande experiência de vida. Aprendeu com os ciganos, com os dervixes no deserto, com...

– Em primeiro lugar, não é bem assim. O que significa aprender: acumular conhecimento? Ou transformar sua vida?

Sugeri que saíssemos aquela noite para jantar e dançar um pouco. Ela aceitou o jantar, mas recusou a dança.

– Me responda – insistiu, olhando meu apartamento. – Aprender é colocar coisas na estante, ou livrar-se de tudo que não serve, e seguir seu caminho mais leve?

Ali estavam as obras que tanto me tinha custado comprar, ler, sublinhar. Ali estava minha personalidade, minha formação, meus verdadeiros mestres.

– Quantos livros tem aí? Mais de mil, imagino. E, no entanto, a grande maioria jamais será aberta de novo. Guarda isso tudo porque não acredita.

– Não acredito?

– Não acredita, ponto final. Quem acredita, vai ler como li sobre teatro quando Andrea me perguntou a respeito. Mas depois é uma questão de deixar que a Mãe fale por você, e, à medida que fala, descobre. E, à medida que descobre, consegue completar os espaços em branco que os escritores deixaram ali de propósito, para provocar a imaginação do leitor. E, quando completa estes espaços, passa a acreditar na própria capacidade.

"Quantas pessoas gostariam de ler os livros que tem aí, mas não possuem dinheiro para comprá-los? Enquanto isso, você fica com esta energia estagnada, para impressionar os amigos que o visitam. Ou porque não acredita que já aprendeu algo com eles, e precisará consultá-los de novo."

Achei que estava sendo dura comigo. E isso me fascinava.

– Acha que não preciso desta biblioteca?

– Acho que precisa ler, mas não precisa guardar tudo isso. Seria pedir muito, se saíssemos agora e, antes de ir para o restaurante, distribuíssemos a maioria deles para as pessoas com quem cruzaremos no caminho?

– Não caberiam em meu carro.

– Alugamos um caminhão.

– Neste caso, jamais chegaríamos ao restaurante a tempo de jantar. Além do mais, você veio aqui porque está insegura, e não para me dizer o que devo fazer com meus livros. Sem eles, eu me sentiria nu.

– Ignorante, você quer dizer.

– Inculto, se está procurando a palavra certa.

– Então, sua cultura não está no coração, mas nas estantes de sua casa.

Bastava. Peguei o telefone, reservei a mesa, disse que iria chegar em quinze minutos. Athena estava querendo fugir do assunto que a levara até ali – sua profunda insegurança fazia com que partisse para o ataque, em vez de olhar para si mesma. Precisava de um homem ao seu lado, e – quem sabe? – estava me sondando para saber até onde eu podia chegar, usando aqueles artifícios femininos para descobrir se estava pronto a fazer qualquer coisa por ela.

Toda vez que estava em sua presença, minha existência parecia justificada. Era isso que ela queria ouvir? Pois bem, eu comentaria durante o jantar. Poderia fazer quase tudo, inclusive largar a mulher com quem estava agora – mas jamais distribuiria meus livros, claro.

Voltamos ao assunto do grupo de teatro no táxi, embora naquele momento eu estivesse disposto a dizer o que nunca tinha dito – falar de amor, um assunto para mim muito mais complicado que Marx, Jung, o Partido Trabalhista na Inglaterra, ou os problemas diários em redações de jornais.

– Você não precisa se preocupar – eu disse, sentindo vontade de segurar sua mão. – Vai dar tudo certo. Fale de caligrafia. Fale de dança. Fale de coisas que você sabe.

– Se fizer isso, jamais descobrirei o que não sei. Quando estiver ali, preciso deixar que minha mente fique quieta, e meu coração comece a falar. Mas é a primeira vez que faço isso, e estou com medo.

– Gostaria que fosse com você?

Ela aceitou na hora. Chegamos ao restaurante, pedimos vinho, e começamos a beber. Eu, porque precisava criar coragem para dizer o que achava que estava sentindo, embora me parecesse absurdo amar alguém que não conhecia direito. Ela, porque estava com medo de dizer o que não sabia.

No segundo copo, percebi que seus nervos estavam à flor

da pele. Tentei segurar sua mão, mas ela a retirou delicadamente.

– Não posso ter medo.

– Claro que pode, Athena. Muitas vezes sinto medo. E mesmo assim, quando preciso, sigo adiante, e enfrento tudo.

Vi que os meus nervos também estavam à flor da pele. Enchi nossas taças de novo – o garçom toda hora vinha perguntar pela comida, e eu dizia que mais tarde iríamos escolher.

Conversava compulsivamente sobre qualquer assunto que me viesse à cabeça, Athena escutava com educação, mas parecia estar longe, em um universo escuro, cheio de fantasmas. Em determinado momento contou de novo sobre a mulher na Escócia, e o que ela havia dito. Perguntei se fazia sentido ensinar o que não se sabe.

– Alguém lhe ensinou a amar alguma vez? – foi sua resposta.

Será que ela estava lendo meus pensamentos?

– E mesmo assim, como qualquer ser humano, você é capaz disso. Como aprendeu? Não aprendeu: acredita. Acredita, e portanto ama.

– Athena...

Vacilei, mas consegui terminar a frase, embora minha intenção fosse dizer algo diferente.

– ... talvez seja hora de pedir a comida.

Me dei conta que ainda não estava preparado para falar de coisas que perturbavam meu mundo. Chamei o garçom, mandei que trouxesse entradas, mais entradas, prato principal, sobremesa, e outra garrafa de vinho. Quanto mais tempo, melhor.

– Você está estranho. Será que foi meu comentário sobre os livros? Faça o que quiser, não estou aqui para mudar seu mundo. Termino dando palpites onde não fui convidada.

Eu pensara nesta história de "mudar o mundo" alguns segundos antes.

– Athena, você vive me falando... melhor, eu preciso falar de algo que aconteceu naquele bar em Sibiu, com a música cigana...

– No restaurante, você quer dizer.

– Sim, no restaurante. Hoje estávamos comentando sobre livros, coisas que se acumulam e que ocupam espaço. Talvez você tenha razão. Existe algo que desejo dar desde que a vi dançando, aquele dia. Isso está ficando cada vez mais pesado em meu coração.

– Não sei do que você está falando.

– Claro que sabe. Estou falando de um amor que estou descobrindo agora e fazendo o possível para destruí-lo antes que se manifeste. Gostaria que o recebesse; é o pouco que tenho de mim mesmo, mas que não possuo. Ele não é exclusivamente seu, porque tenho alguém em minha vida, mas ficaria feliz se o aceitasse de qualquer maneira.

"Diz um poeta árabe de sua terra, Khalil Gibran: '*É bom dar quando alguém pede, mas é melhor ainda poder entregar tudo a quem nada pediu*'. Se não digo tudo que estou dizendo esta noite, continuarei apenas sendo alguém que testemunha o que passa – não serei aquele que vive."

Respirei fundo: o vinho havia me ajudado a libertar-me.

Ela bebeu o copo até o final, e eu fiz o mesmo. O garçom apareceu com as comidas, fazendo alguns comentários a respeito dos pratos, explicando os ingredientes e a maneira de cozinhá-los. Nós dois mantínhamos os olhos fixos, um no outro – Andrea me contara que Athena agira assim quando se encontraram a primeira vez, e estava convencida de que aquilo era uma maneira de intimidar os outros.

O silêncio era aterrorizante. Eu a imaginava levantando-se da mesa, falando do seu famoso e invisível namorado da Scotland Yard, ou comentando que tinha ficado muito lisonjeada, mas estava preocupada com as aulas no dia seguinte.

– *"E existe alguma coisa que se possa guardar? Tudo o que possuímos, um dia será dado. As árvores dão para continuar a viver, pois guardar é colocar um fim em suas existências."*

Sua voz, embora baixa e um pouco pausada por causa do vinho, conseguia calar tudo à nossa volta.

– *"E o maior mérito não é daquele que oferece, mas do que recebe sem se sentir devedor. O homem dá pouco quando dispõe apenas dos bens materiais que possui; mas dá muito quando entrega a si mesmo."*

Dizia tudo isso sem sorrir. Eu parecia estar conversando com uma esfinge.

– É do mesmo poeta que você citou – aprendi na escola, mas não preciso do livro onde escreveu isso; guardei suas palavras no meu coração.

Bebeu um pouco mais. Eu fiz a mesma coisa. Agora não me cabia ficar perguntando se tinha aceitado ou não; eu me sentia mais leve.

– Talvez você esteja certa; vou doar meus livros a uma biblioteca pública, guardarei apenas alguns que realmente torno a reler.

– É sobre isso que quer falar agora?

– Não. Não sei como continuar a conversa.

– Pois então jantemos e apreciemos a comida. Parece uma boa idéia?

Não, não parecia uma boa idéia; eu queria escutar algo diferente. Mas tinha medo de perguntar, de modo que continuei falando de bibliotecas, de livros, de poetas, falando compulsivamente, arrependido de ter pedido tantos pratos – era eu quem desejava sair correndo, porque não sabia como continuar aquele encontro.

No final, ela me fez prometer que iria ao teatro assistir à sua primeira aula, e aquilo foi para mim um sinal. Ela precisava de mim, tinha aceitado o que eu inconscientemente sonhava lhe oferecer desde que a vi dançando em um restaurante na Transilvânia, mas que só aquela noite havia sido capaz de compreender.

Ou acreditar, como dizia Athena.

Andrea McCain, atriz

Claro que sou culpada. Se não fosse por minha causa, Athena jamais teria chegado ao teatro naquela manhã, juntado o grupo, pedido que todos nós nos deitássemos no chão do palco, e começado um relaxamento completo, que incluía respiração e consciência de cada parte do corpo.

"Relaxem agora as coxas..."

Todos obedecíamos, como se estivéssemos diante de uma deusa, de alguém que sabia mais que todos nós juntos, embora já tivéssemos feito este tipo de exercício centenas de vezes. Todos estávamos curiosos do que viria depois de "... agora relaxe a face, respire fundo", etc.

Será que acreditava que nos estava ensinando alguma coisa nova? Estávamos esperando uma conferência, uma palestra! Preciso me controlar, voltemos ao passado; relaxamos, e veio aquele silêncio, que nos desnorteou por completo. Conversando depois com alguns companheiros, todos tivemos a sensação que o exercício tinha acabado; era hora de sentar-se, olhar em volta, mas ninguém fez isso. Permanecemos deitados, em uma espécie de meditação forçada, por quinze intermináveis minutos.

Então, sua voz se fez de novo ouvir.

– Tiveram tempo de duvidar de mim. Um ou outro demonstrou impaciência. Mas agora vou pedir apenas uma coisa: quando eu contar até três, levantem-se e sejam diferentes.

"Não digo: seja uma outra pessoa, um animal, uma casa. Evitem fazer tudo que aprenderam nos cursos de dramaturgia – não estou pedindo que sejam atores e demonstrem suas qualidades. Estou mandando que deixem de ser humanos, e se transformem em algo que não conhecem."

Estávamos de olhos fechados, deitados no chão, sem que um pudesse saber como o outro estava reagindo. Athena jogava com essa incerteza.

– Vou dizer algumas palavras, e vão associar imagens a estes comandos. Lembrem-se que estão intoxicados de conceitos, e, se eu dissesse "destino", talvez começassem a imaginar suas vidas no futuro. Se eu dissesse "vermelho", iriam fazer qualquer interpretação psicanalítica. Não é isso que eu quero. Eu quero que sejam diferentes, como disse.

Não conseguia sequer explicar direito o que desejava. Como ninguém reclamou, tive certeza que estavam tentando ser educados, mas, quando acabasse a tal "conferência", jamais tornariam a convidar Athena. E ainda iriam me dizer como eu era ingênua por tê-la procurado.

– Eis a primeira palavra: sagrado.

Para não morrer de tédio, resolvi fazer parte do jogo: imaginei minha mãe, meu namorado, meus futuros filhos, uma carreira brilhante.

– Façam um gesto que signifique "sagrado".

Cruzei meus braços no peito, como se estivesse abraçando todos os entes queridos. Soube mais tarde que a maior parte abriu os braços em forma de cruz, e uma das meninas abriu as pernas, como se estivesse fazendo amor.

– Voltem a relaxar. Voltem a esquecer tudo, e mantenham os olhos fechados. Não estou criticando nada, mas, pelos gestos que vi, vocês estão dando uma forma ao que consideram sagrado. Eu não quero isso – peço que, na próxima palavra, não tentem defini-la como ela se manifesta neste mundo. Abram seus canais, deixem que esta intoxicação de realidade se afaste. Sejam abstratos; e aí estarão entrando no mundo para onde os estou guiando.

A última frase soou com tal autoridade, que senti a energia do lugar mudando. Agora a voz sabia a que lugar desejava nos conduzir. Uma mestra, em vez de uma conferencista.

– Terra – disse ela.

De repente entendi do que estava falando. Já não era minha imaginação que contava, mas meu corpo em contato com o solo. Eu era a Terra.

– Façam um gesto que represente Terra.

Não me movi; eu era o solo daquele palco.

– Perfeito – disse ela. – Ninguém se mexeu. Todos, pela primeira vez, experimentaram o mesmo sentimento; em vez de descrever algo, se transformaram na idéia.

De novo ficou em silêncio pelo que imaginei serem longos cinco minutos. O silêncio nos deixava perdidos, incapazes de distinguir se ela não sabia como continuar, ou se não conhecia nosso intenso ritmo de trabalho.

– Vou dizer uma terceira palavra.

Deu uma pausa

– Centro.

Eu senti – e isso foi um movimento inconsciente – que toda a minha energia vital ia para o umbigo, e ali brilhava como se fosse uma luz amarela. Aquilo me deu medo: se alguém o tocasse, eu poderia morrer.

– Gesto de centro!

A frase veio como um comando. Imediatamente coloquei as mãos no ventre, para me proteger.

– Perfeito – disse Athena. – Podem sentar-se.

Abri os olhos e notei as luzes do palco lá em cima, distantes, apagadas. Esfreguei o rosto, levantei-me do chão, notando que meus companheiros estavam surpresos.

– É isso a conferência? – disse o diretor.

– Pode chamar de conferência.

– Obrigado por ter vindo. Agora, se nos der licença, temos que começar os ensaios da próxima peça.

– Mas não terminei ainda.

– Deixamos para outro momento.

Todos pareciam confusos com a reação do diretor. Depois da dúvida inicial, penso que estávamos gostando – era algo diferente, nada de representar coisas ou pessoas, nada de imaginar imagens como maçãs, velas. Nada de sentar-se em círculo de mãos dadas, e fingir que se está praticando um ritual sagrado. Era simplesmente algo absurdo, e queríamos saber onde iria parar.

Athena, sem demonstrar qualquer emoção, abaixou-se para pegar sua bolsa. Neste momento, escutamos uma voz na platéia:

– Que maravilha!

Heron tinha vindo com ela. E o diretor tinha medo dele, porque conhecia os críticos de teatro do jornal onde trabalhava, e tinha excelentes relações na mídia.

– Vocês deixaram de ser indivíduos, e passaram a ser idéias! Que pena que estão ocupados, mas não se preocupe, Athena, encontraremos um outro grupo onde eu possa ver como termina sua conferência. Tenho meus contatos.

Eu ainda me lembrava da luz viajando por todo o meu corpo, e concentrando-se no meu umbigo. Quem era aquela mulher? Será que meus companheiros tinham experimentado a mesma coisa?

– Um momento – disse o diretor, olhando a cara de surpresa de todos os que estavam ali. – Quem sabe podemos adiar os ensaios hoje, e...

– Não devem. Porque eu tenho que voltar ao jornal agora, para escrever sobre esta mulher. Continuem fazendo o que sempre fizeram: acabo de descobrir uma excelente história.

Se Athena parecia perdida no meio da discussão dos dois homens, não demonstrou nada. Desceu do palco, e acompanhou Heron. Nos viramos para o diretor, perguntando por que havia reagido assim.

– Com todo o respeito por Andrea, acho que nossa conversa sobre sexo no restaurante foi muito mais rica do que estas bobagens que acabamos de fazer. Repararam como ela ficava em silêncio? Não tinha idéia de como continuar!

– Mas eu senti uma coisa estranha – disse um dos atores mais velhos. – Na hora que ela disse "centro", pareceu que toda a minha força vital se concentrava em meu umbigo. Nunca havia experimentado isso.

– Você... tem certeza? – era uma atriz que, pelo tom de suas palavras, havia sentido a mesma coisa.

– Essa mulher parece uma bruxa – disse o diretor, interrompendo a conversa. – Vamos voltar ao trabalho.

Começamos com alongamento, aquecimento, meditação, tudo conforme o manual. Em seguida, algumas improvisações, e logo partimos para a leitura do novo texto. Aos poucos, a presença de Athena parecia estar se dissolvendo, tudo voltava a ser o que era – um teatro, um ritual criado pelos gregos há milênios, onde costumávamos fingir que éramos gente diferente.

Mas era apenas representação. Athena era diferente, e eu estava disposta a tornar a vê-la, principalmente depois do que o diretor dissera a seu respeito.

Heron Ryan, jornalista

Sem que soubesse, eu havia seguido os mesmos passos que sugerira aos atores, obedecido a tudo que mandara – sendo que a única diferença é que mantinha os olhos abertos para acompanhar o que acontecia no palco. No momento em que dissera "gesto de centro", eu colocara a mão no meu umbigo, e, para minha surpresa, vi que todos, inclusive o diretor, tinham feito a mesma coisa. O que era aquilo?

Naquela tarde precisava escrever um artigo aborrecidíssimo sobre a visita de um chefe de Estado à Inglaterra, uma verdadeira prova de paciência. No intervalo dos telefonemas, para distrair-me, resolvi perguntar a colegas de redação que gesto fariam se eu pedisse para designar "centro". A maior parte brincou, comentando sobre partidos políticos. Um apontou para o centro do planeta. Outro colocou a mão no coração. Ninguém, mas absolutamente ninguém mesmo, entendia o umbigo como o centro de qualquer coisa.

Finalmente, uma das pessoas com quem consegui conversar naquela tarde me explicou algo interessante. Ao voltar para casa, Andrea já estava de banho tomado, tinha colocado a mesa, e me esperava para jantar. Abriu uma garrafa de vinho caríssimo, encheu duas taças, e me estendeu uma.

– Então, como foi o jantar ontem à noite?

Por quanto tempo um homem pode conviver com uma mentira? Não queria perder a mulher que estava diante de mim, que me fazia companhia nas horas difíceis, que sempre estava ao meu lado quando me sentia incapaz de encontrar um sentido para minha vida. Eu a amava, mas, no mundo louco em que estava mergulhando sem saber, meu coração estava distante, procurando adaptar-se a algo que talvez conhecesse, mas que não podia aceitar: ser grande o suficiente para duas pessoas.

Como eu jamais arriscaria deixar o certo pela dúvida, procurei minimizar o que se passara no restaurante. Principalmente porque não acontecera absolutamente nada, além de trocas de versos de um poeta que havia sofrido muito por amor.

– Athena é uma pessoa difícil de se conviver.

Andrea riu.

– E justamente por isso deve ser interessantíssima para os homens; desperta este instinto de proteção que vocês têm, e que cada vez usam menos.

Melhor mudar de assunto. Sempre tive a certeza que as mulheres têm uma capacidade sobrenatural para saber o que se passa na alma de um homem. São todas feiticeiras.

– Andei fazendo algumas pesquisas sobre o que aconteceu hoje no teatro. Você não sabe, mas eu estava de olhos abertos durante os exercícios.

– Você sempre está de olhos abertos; acho que faz parte de sua profissão. E vai falar dos momentos em que todos se comportaram da mesma maneira. Conversamos muito sobre isso no bar, depois que saímos dos ensaios.

– Um historiador me disse que, no templo da Grécia onde se profetizava o futuro (*N.R.: Delfos, dedicado a Apolo*), havia uma pedra em mármore, justamente chamada "umbigo". Relatos da época contam que ali estava o centro do planeta. Fui para os arquivos do jornal fazer algumas pesquisas: em Petra, na Jordânia, existe outro "umbigo cônico", simbolizando não apenas o centro do planeta, mas do universo inteiro. Tanto o de Delfos como o de Petra procuram mostrar o eixo por onde transita a energia do mundo, marcando de modo visível algo que se manifesta apenas no plano, digamos, "invisível". Jerusalém é chamada também de umbigo do mundo, como uma ilha no oceano Pacífico, e outro lugar que esqueci – porque jamais associei uma coisa com outra.

– A dança!

– O que você está dizendo?

– Nada.

– Eu sei o que você está dizendo: as danças orientais do ventre, as mais antigas que se tem notícia, e onde tudo gira em torno do umbigo. Quis evitar o assunto, porque eu lhe contei que na Transilvânia tinha visto Athena dançar. Ela estava vestida, embora...

– ... embora o movimento começasse no umbigo, para só então espalhar-se pelo resto do corpo.

Tinha razão.

Melhor mudar de assunto de novo, conversar sobre teatro, sobre as coisas aborrecidas do jornalismo, beber um pouco, terminar na cama fazendo amor enquanto começava a chover lá fora. Percebi que, no momento do orgasmo, o corpo de Andrea girava em torno do umbigo – eu já tinha visto isso centenas de vezes, e nunca prestara atenção.

Antoine Locadour, historiador

Heron começou a gastar uma fortuna em telefonemas para a França, pedindo que conseguisse todo o material até aquele final de semana, insistindo nesta história de umbigo – que me parecia a coisa mais desinteressante e menos romântica do mundo. Mas, enfim, ingleses não costumam ver as mesmas coisas que os franceses vêem; e, em vez de fazer perguntas, procurei pesquisar o que a ciência dizia a respeito.

Logo percebi que conhecimentos históricos não eram suficientes – eu podia localizar um monumento aqui, um dólmen ali, mas o curioso é que as culturas antigas pareciam concordar em torno do mesmo tema, e usar a mesma palavra para definir os lugares que considerava sagrados. Nunca tinha prestado atenção nisso, e o assunto passou a me interessar. Quando vi o excesso de coincidências, fui em busca de algo complementar: o comportamento humano e suas crenças.

A primeira explicação, mais lógica, logo foi descartada: através do cordão umbilical somos alimentados, ele é o centro da vida. Um psicólogo logo me disse que esta teoria não fazia o menor sentido: a idéia central do homem é sempre "cortar" o cordão, e a partir daí o cérebro ou o coração tornam-se símbolos mais importantes.

Quando estamos interessados em um assunto, tudo a nossa volta parece referir-se a ele (os místicos chamam de "sinais", os céticos de "coincidência", e os psicólogos de "foco concentrado", embora eu ainda precise definir como os historiadores devem referir-se ao tema). Certa noite, minha filha adolescente apareceu em casa com um *piercing* no umbigo.

– Por que fez isso?

– Porque me deu vontade.

Explicação absolutamente natural e verdadeira, mesmo para um historiador que precisa achar um motivo para tudo. Quando entrei em seu quarto, vi um pôster de sua cantora favorita: o ventre estava de fora, e o umbigo, também naquela foto na parede, parecia ser o centro do mundo. Telefonei para Heron, e perguntei por que estava tão interessado. Pela primeira vez me contou sobre o que se passara no teatro, como as pessoas haviam reagido de maneira espontânea, mas inesperada, a um comando. Impossível arrancar mais informações de minha filha, de modo que resolvi consultar especialistas.

Ninguém parecia dar muita atenção ao assunto, até que encontrei François Shepka, um psicólogo indiano (*N.R.: nome e nacionalidade trocados por expresso desejo do cientista*) que estava começando a revolucionar as terapias atualmente em uso: segundo ele, esta história de voltar à infância para resolver os traumas nunca tinha levado o ser humano a lugar nenhum – muitos problemas que já haviam sido superados pela vida terminavam retornando, e as pessoas adultas recomeçavam a culpar seus pais pelos fracassos e derrotas. Shepka estava em plena guerra com as sociedades psicanalíticas francesas, e uma conversa sobre temas absurdos – como o umbigo – pareceu relaxá-lo.

Ficou entusiasmado com o tema, mas não o abordou imediatamente. Disse que para um dos mais respeitados psicanalistas da história, o suíço Carl Gustav Jung, nós todos bebemos em uma mesma fonte. Chama-se "alma do mundo"; embora sempre tentemos ser indivíduos independentes, uma parte de nossa memória é a mesma. Todos buscam o ideal da beleza, da dança, da divindade, da música.

A sociedade, entretanto, se encarrega de definir como es-

tes ideais vão se manifestar no plano real. Assim, por exemplo, hoje em dia o ideal de beleza é ser magra, enquanto
há milhares de anos as imagens das deusas eram gordas. O
mesmo acontece com a felicidade: existe uma série de regras que, se você não seguir, seu consciente não aceitará a
idéia de que é feliz.

Jung costumava classificar o progresso individual em quatro etapas: a primeira era a Persona – máscara que usamos
todos os dias, fingindo quem somos. Acreditamos que o
mundo depende de nós, que somos ótimos pais e nossos filhos não nos compreendem, que os patrões são injustos, que
o sonho do ser humano é não trabalhar nunca e passar a
vida inteira viajando. Muitas pessoas se dão conta que algo está errado nesta história: mas, como não querem mudar nada, terminam afastando rapidamente o assunto de suas
cabeças. Algumas poucas procuram entender o que está errado, e terminam encontrando a Sombra.

A Sombra é o nosso lado negro, que dita como devemos
agir e nos comportar. Quando tentamos nos livrar da
Persona, acendemos uma luz dentro de nós, e vemos as
teias de aranha, a covardia, a mesquinhez. A Sombra está
ali para impedir nosso progresso – e geralmente consegue,
voltamos correndo para ser quem éramos antes de duvidar.
Entretanto, alguns sobrevivem a este embate com suas teias
de aranha, dizendo: "Sim, tenho uma série de defeitos, mas
sou digno, e quero ir adiante".

Neste momento, a Sombra desaparece, e entramos em
contato com a Alma.

Por Alma, Jung não está definindo nada religioso; fala de
uma volta à tal Alma do Mundo, fonte do conhecimento.
Os instintos começam a se tornar mais aguçados, as emoções são radicais, os sinais da vida são mais importantes que
a lógica, a percepção da realidade já não é tão rígida.

Começamos a lidar com coisas com as quais não estamos acostumados, passamos a reagir de maneira inesperada para nós mesmos.

E descobrimos que, se conseguirmos canalizar todo este jorro de energia contínua, vamos organizá-lo em um centro muito sólido, que Jung chama de O Velho Sábio para os homens, ou a Grande Mãe para as mulheres.

Permitir esta manifestação é algo perigoso. Geralmente, quem chega ali tem a tendência a considerar-se santo, domador de espíritos, profeta. É preciso muita maturidade para entrar em contato com a energia do Velho Sábio ou da Grande Mãe.

– Jung enlouqueceu – disse meu amigo, depois de me explicar as quatro etapas descritas pelo psicanalista suíço. – Quando entrou em contato com seu Velho Sábio, começou a dizer que era guiado por um espírito chamado Philemon.

– E finalmente...

– ... chegamos no símbolo do umbigo. Não apenas as pessoas, mas as sociedades são constituídas destes quatro passos. A civilização ocidental tem uma Persona, idéias que nos guiam.

"Em sua tentativa de adaptar-se às mudanças, entra em contato com a Sombra – vemos as grandes manifestações de massa, onde a energia coletiva pode ser manipulada tanto para o bem como para o mal. De repente, por alguma razão, a Persona ou a Sombra já não satisfazem os seres humanos – e é chegado o momento de um salto, onde há uma conexão inconsciente com a Alma. Novos valores começam a surgir."

– Notei isso. Tenho reparado o ressurgir do culto da face feminina de Deus.

– Ótimo exemplo. E, no final deste processo, para que estes novos valores se instalem, a raça inteira começa a en-

trar em contato com os símbolos − a linguagem cifrada
com que as gerações atuais se comunicam com o conhecimento ancestral. Um destes símbolos de renascimento é o
umbigo. No umbigo de Vishnu, divindade indiana responsável pela criação e pela destruição, senta-se o deus que tudo irá governar a cada ciclo. Os iogues o consideram como um dos chacras, ponto sagrado no corpo humano. As
tribos mais primitivas costumavam colocar monumentos no
lugar onde achavam que se encontrava o umbigo do planeta. Na América do Sul, pessoas em transe dizem que a
verdadeira forma do ser humano é um ovo luminoso, que
se conecta com os outros através de filamentos que saem do
seu umbigo.

"A mandala, desenho que estimula a meditação, é uma
representação simbólica disso."

Passei toda a informação para a Inglaterra antes da data que havíamos combinado. Disse que a mulher que consegue despertar em um grupo a mesma reação absurda deve ter um poder gigantesco, e não me surpreenderia se fosse
alguma espécie de paranormal. Sugeri que procurasse es-
tudá-la mais de perto.

Nunca havia pensado no tema, e procurei esquecê-lo imediatamente; minha filha disse que estava me comportando
de maneira estranha, só pensava em mim mesmo, só olhava para o meu umbigo!

Deidre O'Neill, conhecida como Edda

– Tudo deu errado: como é que você conseguiu colocar em minha cabeça que eu saberia ensinar? Por que me humilhar diante dos outros? Eu devia esquecer que você existe. Quando me ensinaram a dançar, eu dancei. Quando me ensinaram a escrever letras, eu aprendi. Mas você foi perversa: exigiu que eu tentasse algo além dos meus limites. Por isso peguei um trem, por isso vim até aqui – para que pudesse ver meu ódio!

Ela não parava de chorar. Ainda bem que tinha deixado a criança com os pais, porque falava um pouco alto demais, e seu hálito estava com... um perfume de vinho. Pedi que entrasse, fazer aquele escândalo na porta de minha casa em nada iria ajudar minha reputação – já bastante comprometida porque diziam que eu recebia homens, mulheres, e organizava grandes orgias sexuais em nome de Satã.

Mas ela continuava ali, gritando:

– A culpa é sua! Você me humilhou!

Uma janela se abriu, e logo outra. Bem, quem está disposta a mudar o eixo do mundo tem que estar também disposta e saber que os vizinhos nem sempre estarão contentes. Aproximei-me de Athena e fiz exatamente o que ela desejava que fizesse: abracei-a.

Ela continuou a chorar em meu ombro. Com todo cuidado, eu a fiz subir os poucos degraus, e entramos em casa. Preparei um chá cuja fórmula não divido com ninguém, porque foi meu protetor quem me ensinou; coloquei diante dela, que bebeu em um só gole. Fazendo isso, mostrou que sua confiança em mim ainda estava intacta.

– Por que sou assim? – continuou.

Eu sabia que o efeito do álcool havia sido cortado.

– Tenho homens que me amam. Tenho um filho que me adora, e que me vê como modelo de vida. Tenho pais adotivos que considero como minha verdadeira família, e seriam capazes de morrer por minha causa. Preenchi os espaços em branco do meu passado quando fui em busca de minha mãe. Tenho dinheiro suficiente para passar três anos sem fazer nada, apenas aproveitando a vida – e não estou contente!

"Sinto-me miserável, culpada, porque Deus me abençoou com tragédias que consegui superar, e milagres que honrei, e não estou jamais contente! Sempre quero mais. Não precisava ter ido àquele teatro, e acrescentar uma frustração à minha lista de vitórias!"

– Você acha que agiu errado?

Ela parou, e me olhou espantada.

– Por que pergunta isso?

Eu apenas aguardei a resposta.

– Eu agi certo. Estava com um jornalista quando entrei ali, sem ter a menor noção do que ia fazer, e de repente as coisas começaram a surgir como se viessem do nada. Sentia a presença da Grande Mãe ao meu lado, me guiando, me instruindo, fazendo com que minha voz passasse uma segurança que, no íntimo, eu não possuía.

– Então por que está reclamando?

– Porque ninguém entendeu!

– E isso é importante? Tão importante que a faça vir até a Escócia para insultar-me diante de todo mundo?

– Claro que é importante! Se você é capaz de tudo, se sabe que está fazendo a coisa certa, como é que não consegue pelo menos ser amada e admirada por isso?

Esse era o problema. Peguei-a pela mão e a conduzi ao mesmo quarto onde, semanas antes, havia contemplado a vela. Pedi que se sentasse e procurasse acalmar-se um pouco – embora estivesse certa de que o chá estava surtindo efeito. Fui ao meu quarto, peguei um espelho circular, e coloquei-o diante de seu rosto.

– Você tem tudo, e lutou por cada polegada de seu território. Agora veja aqui as suas lágrimas. Veja seu rosto, e a amargura que ele demonstra. Procure olhar a mulher que está no espelho; desta vez não ria, mas tente compreendê-la.

Dei tempo suficiente para que pudesse seguir minhas instruções. Quando notei que estava entrando no transe desejado, segui adiante:

– Qual é o segredo da vida? Pois chamemos isso de "graça", ou "bênção". Todos procuram estar satisfeitos com o que têm. Menos eu. Menos você. Menos algumas poucas pessoas que, infelizmente, teremos que nos sacrificar um pouco, em nome de uma coisa maior.

"Nossa imaginação é maior que o mundo que nos cerca, vamos além de nossos limites. Antigamente, chamavam isso de 'bruxaria' – mas ainda bem que as coisas mudaram, ou a esta hora já estaríamos na fogueira. Quando pararam de queimar as mulheres, a ciência encontrou uma explicação, normalmente chamada de 'histeria feminina'; embora não cause a morte pelo fogo, termina provocando uma série de problemas, principalmente no trabalho.

"Entretanto, não se preocupe, em breve irão chamar de 'sabedoria'. Mantenha os olhos fixos no espelho: quem está vendo?"

– Uma mulher.

– E o que está além da mulher?

Ela vacilou um pouco. Eu insisti, e terminou respondendo:

– Outra mulher. Mais verdadeira, mais inteligente que eu. Como se fosse uma alma que não me pertencesse, mas que fizesse parte de mim.

– Isso mesmo. Agora vou pedir para que imagine um dos símbolos mais importantes da alquimia: uma serpente que faz um círculo e devora a própria cauda. Consegue imaginar isso?

Ela fez um sinal afirmativo com a cabeça.

– Assim é a vida de pessoas como eu e como você. Elas se destroem e se constroem todo o tempo. Tudo na sua existência ocorreu desta maneira: do abandono ao encontro, do divórcio ao novo amor, da filial do banco ao deserto. Apenas uma coisa permanece intacta – seu filho. Ele é o fio condutor de tudo, respeite isso.

De novo começou a chorar. Mas era um tipo diferente de lágrimas.

– Você veio até aqui porque viu um rosto feminino na fogueira. Este rosto é o mesmo que está no espelho agora, e procure honrá-lo. Não se deixe oprimir pelo que os outros pensam, já que, em alguns anos, ou em algumas décadas, ou em alguns séculos, este pensamento será modificado. Viva agora o que as pessoas só irão viver no futuro.

"O que você quer? Você não pode querer ser feliz, porque isso é fácil e aborrecido. Você não pode querer apenas amar, porque isso é impossível. O que você quer? Você quer justificar sua vida – vivê-la da maneira mais intensa possível. Isso é ao mesmo tempo uma armadilha e um êxtase. Procure estar atenta ao perigo, e viva a alegria, a aventura de ser a Mulher que está além da imagem refletida no espelho."

Seus olhos se fecharam, mas sei que minhas palavras haviam penetrado em sua alma, e ali permaneceriam.

– Se quiser arriscar-se e continuar a ensinar, faça isso. Se não quiser, saiba que já foi muito mais além do que a maioria das pessoas.

Seu corpo começou a relaxar. Segurei-a nos braços antes que caísse, e ela dormiu com a cabeça apoiada em meus seios.

Tentei sussurrar algumas coisas, porque eu já havia passado pelas mesmas etapas, e sei o quanto era difícil – assim tinha me dito meu protetor, e assim eu tinha experimentado em minha própria carne. Mas o fato de ser difícil não tornava esta experiência menos interessante.

Que experiência? Viver como ser humano e como divindade. Passar da tensão ao relaxamento. Do relaxamento, ao transe. Do transe, ao contato mais intenso com as pessoas. Deste contato, de novo à tensão, e assim por diante, como a serpente que come a própria cauda.

Nada fácil – principalmente porque exige um amor incondicional, que não teme o sofrimento, a rejeição, a perda.

Mas, para quem bebe uma vez desta água, é impossível tornar a matar sua sede em outras fontes.

Andrea McCain, atriz

– Outro dia você falou de Gaia, que criou a si mesma, e teve um filho sem precisar de homem. Disse, com toda razão, que a Grande Mãe terminou cedendo lugar aos deuses masculinos. Mas se esqueceu de Hera, uma das descendentes de sua deusa favorita.

"Hera tem mais importância, porque é mais prática. Governa os céus e a terra, as estações do ano e as tempestades. Segundo os mesmos gregos que você citou, a Via Láctea que vemos nos céus é composta do leite que jorrou de seu seio. Um belo seio, diga-se de passagem, porque o todo poderoso Zeus mudou de forma, transformou-se em um pássaro, apenas para poder beijá-lo sem ser rejeitado."

Caminhávamos por uma grande loja de departamentos em Knightsbridge. Telefonei dizendo que gostaria de conversar um pouco, e ela me convidou para ver as liquidações de inverno – teria sido muito mais simpático tomarmos um chá juntas, ou almoçarmos em um restaurante tranqüilo.

– Seu filho pode perder-se nesta multidão.

– Não se preocupe. Continue o que estava contando.

– Hera descobriu o truque, e obrigou Zeus a casar-se. Mas, logo depois da cerimônia, o grande rei do Olimpo voltou à sua vida de *playboy*, seduzindo todas as deusas ou humanas que passavam diante dele. Hera permaneceu fiel: em vez de colocar a culpa em seu marido, dizia que as mulheres deviam se comportar melhor.

– Não é isso que todas nós fazemos?

Não sabia onde desejava chegar, de modo que continuei como se não tivesse escutado:

– Até que resolveu pagar na mesma moeda, encontrar

um deus ou um homem e levar para a cama. Será que não podemos parar um pouco e tomar um café?

Mas Athena acabara de entrar em uma loja de *lingerie*.

– Esta é bonita? – me perguntou, mostrando um provocante conjunto de calcinha e sutiã da cor da pele, feito em tricô.

– Muito. Quando estiver usando, alguém vai ver?

– Claro – ou você acha que sou santa? Mas continue o que estava mesmo dizendo sobre Hera.

– Zeus ficou assustado com seu comportamento. Mas agora, já independente, Hera pouco se preocupava com seu casamento. Você tem mesmo um namorado?

Ela olhou para os lados. Só quando viu que o menino não podia escutar-nos foi que respondeu de maneira monossilábica:

– Tenho.

– Nunca vi.

Foi até à caixa, pagou a *lingerie*, colocou-a na bolsa.

– Viorel está com fome, e tenho certeza que não se interessa por lendas gregas. Termine a história de Hera.

– Tem um final meio tolo: com medo de perder sua amada, fingiu que se casava de novo. Quando Hera soube, entendeu que as coisas estavam indo longe demais – aceitava amantes, mas o divórcio seria impensável.

– Nada de original.

– Resolveu ir até o lugar onde a cerimônia seria realizada, criar um escândalo, e foi só então que se deu conta que ele estava pedindo a mão de uma estátua.

– O que fez Hera?

– Riu muito. Isso quebrou o gelo entre os dois, e ela tornou a ser a rainha dos céus.

– Ótimo. Se isso algum dia acontecer com você...

– ... o quê?

– Se seu homem arranjar uma outra mulher, não se esqueça de rir.

– Eu não sou uma deusa. Seria muito mais destruidora. Por que nunca vi seu namorado?

– Porque ele está sempre muito ocupado.

– Onde o conheceu?

Ela parou, com a *lingerie* nas mãos.

– Conheci no banco onde trabalhava, ele tinha uma conta ali. E agora desculpe: meu filho está me esperando. Você tem razão, ele pode perder-se entre estas centenas de pessoas, se eu não der toda a atenção necessária. Teremos um encontro lá em casa na semana que vem; claro que você está convidada.

– Eu sei quem organizou.

Athena me deu dois beijos cínicos no rosto, e foi embora; pelo menos, tinha entendido minha mensagem.

Naquela tarde, no teatro, o diretor veio dizer que estava irritado com meu comportamento: eu havia organizado um grupo para visitar aquela mulher. Expliquei que a idéia não partira de mim – Heron ficara fascinado com a história do umbigo, e me perguntou se alguns atores estariam dispostos a continuar a tal conferência que havia sido interrompida.

– Mas ele não manda em você.

Claro que não, mas a última coisa que desejava neste mundo era que fosse sozinho à casa de Athena.

Os atores estavam já reunidos, mas, em vez de outra leitura da nova peça, o diretor resolveu mudar o programa.

– Faremos hoje mais um exercício de psicodrama (*N.R.: técnica onde pessoas dramatizam experiências pessoais*).

Não havia necessidade; todos nós já sabíamos como os personagens se comportariam nas situações colocadas pelo autor.

– Posso sugerir o tema?

Todos se viraram para mim. Ele parecia surpreso.

– O que é isso, uma rebelião?

– Escute até o final: criaremos uma situação onde um homem, depois de lutar muito, consegue reunir um grupo de pessoas para celebrar um rito importante na comunidade. Digamos, algo que tenha a ver com a colheita do próximo outono. Entretanto, chega uma estrangeira na cidade e, por causa da sua beleza e das lendas que correm sobre ela – dizem que é uma deusa disfarçada –, o grupo que o bom homem tinha reunido para manter as tradições de sua aldeia logo se dispersa, e vai encontrar-se com a recém-chegada.

– Mas isso nada tem a ver com a peça que estamos ensaiando! – disse uma das atrizes.

O diretor, porém, tinha entendido o recado.

– É uma ótima idéia, podemos começar.

E virando-se para mim:

– Andrea, você será a recém-chegada. Assim, pode compreender melhor a situação da aldeia. E eu serei o bom homem que tenta manter os costumes intactos. E o grupo será composto de casais que freqüentam a igreja, se reúnem aos sábados para trabalhos comunitários, e se ajudam mutuamente.

Deitamos no chão, relaxamos, e começamos o exercício – que na verdade é muito simples: a pessoa central (neste caso, eu mesma) vai criando situações, e os outros reagem à medida que são provocados.

Quando o relaxamento terminou, transformei-me em Athena. Na minha fantasia, ela corria o mundo como Satanás em busca de súditos para o seu reino, mas se disfarçava de Gaia, a deusa que sabe tudo e que tudo criou. Durante quinze minutos os "casais" se formaram, se conhe-

ceram, inventaram uma história em comum onde existiam
filhos, fazendas, compreensão e amizade. Quando senti que
o universo estava pronto, sentei-me em um canto do palco,
e comecei a falar de amor.

– Estamos aqui nesta pequena aldeia, e vocês acham que
sou uma estrangeira, por isso se interessam pelo que tenho
a contar. Nunca viajaram, não sabem o que se passa além
das montanhas, mas eu posso lhes dizer: não há necessidade de louvar a terra. Ela sempre será generosa com esta comunidade. O importante é louvar o ser humano. Vocês dizem que amam viajar? Estão usando a palavra errada – o
amor é uma relação entre as pessoas.

"Vocês desejam que a colheita seja fértil e por isso decidiram amar a terra? Outra bobagem: o amor não é desejo, não é conhecimento, não é admiração. É um desafio, um
fogo que arde sem que possamos ver. Por isso, se acham que
sou uma estranha nesta terra, estão enganados: tudo me é
familiar, porque venho com esta força, com esta chama, e
quando partir ninguém mais será o mesmo. Trago o amor
de verdade, não aquele que ensinaram os livros e os contos
de fadas."

O "marido" de um dos "casais" começou a me olhar. A
mulher ficou perdida com sua reação.

Durante o resto do exercício, o diretor – melhor dizendo, o bom homem – fazia o possível para explicar às pessoas a importância de manter as tradições, louvar a terra,
pedir que ela fosse generosa este ano como tinha sido no
ano passado. Eu apenas falava de amor.

– Ele diz que a terra quer ritos? Pois eu garanto: se vocês tiverem amor suficiente entre vocês, a colheita será far-
ta, porque este é um sentimento que tudo transforma. Mas
o que eu vejo? Amizade. A paixão já se extinguiu há muito tempo, porque já se acostumaram uns com os outros. É

por isso que a terra dá apenas o que deu no ano anterior, nem mais nem menos. E é por isso que, no escuro de suas almas, vocês reclamam silenciosamente que nada em suas vidas muda. Por quê? Porque tentaram controlar a força que tudo transforma, de modo que suas vidas pudessem continuar sem grandes desafios.

O bom homem explicava:

– Nossa comunidade sempre sobreviveu porque respeitou as leis, e até mesmo o amor é guiado por elas. Aquele que se apaixona sem levar em conta o bem comum irá sempre viver em constante angústia: de ferir sua companhia, de irritar sua nova paixão, de perder tudo o que construiu. Uma estrangeira sem laços e sem história pode dizer o que quiser, mas não sabe as dificuldades que tivemos antes de chegar onde chegamos. Não sabe o sacrifício que fizemos por nossos filhos. Desconhece o fato de que trabalhamos sem descanso para que a terra seja generosa, a paz esteja conosco, as provisões possam ser armazenadas para o dia de amanhã.

Durante uma hora eu defendi a paixão que tudo devora, enquanto o bom homem falava do sentimento que traz paz e tranqüilidade. No final, eu fiquei falando sozinha, enquanto a comunidade inteira se reunia em torno dele.

Havia feito meu papel com um entusiasmo e uma fé que jamais imaginara possuir; apesar de tudo, a estrangeira partia da pequena aldeia sem ter convencido ninguém.

E isso me deixava muito, muito contente.

Heron Ryan, jornalista

Um velho amigo meu costuma dizer: "A gente aprende 25% com o mestre, 25% escutando a si mesmo, 25% com os amigos, e 25% com o tempo". No primeiro encontro na casa de Athena, onde ela pretendia terminar a aula interrompida no teatro, todos nós aprendemos com... não sei.

Nos esperava na pequena sala de seu apartamento, junto com o filho. Reparei que o lugar era totalmente branco, vazio, exceto por um móvel com um aparelho de som em cima, e uma pilha de CDs. Estranhei a presença da criança, que devia aborrecer-se com uma conferência; esperava que continuasse do momento onde tinha parado − comandos através de palavras. Mas ela tinha outros planos; explicou que ia colocar uma música vinda da Sibéria, e que todos simplesmente deviam escutar.

Mais nada.

− Eu não consigo chegar a lugar nenhum através da meditação − disse. − Vejo estas pessoas sentadas de olhos fechados, um sorriso nos lábios, suas caras sérias, a postura arrogante, concentradíssimas em absolutamente nada, convencidas que estão em contato com Deus ou com a Deusa. Pelo menos, escutaremos música juntos.

De novo, aquela sensação de mal-estar, como se Athena não soubesse exatamente o que fazia. Mas quase todos os atores do teatro estavam ali, inclusive o diretor − que segundo Andrea fora espionar o campo inimigo.

A música terminou.

− Desta vez, dancem em um ritmo que não tenha nada, absolutamente nada a ver com a melodia.

Athena colocou-a de novo, com o volume bem mais alto, e começou a mover seu corpo sem qualquer harmonia. Apenas um senhor mais velho, que na peça representava um rei bêbado, fez o que tinha sido mandado. Ninguém se mexeu; as pessoas pareciam um pouco constrangidas. Uma delas olhou o relógio – haviam se passado apenas dez minutos.

Athena parou e olhou em volta:

– Por que estão parados?

– Me parece... um pouco ridículo fazer isso – escutou-se a voz tímida de uma atriz. – Aprendemos a harmonia, não o oposto.

– Pois façam o que digo. Precisam de uma explicação intelectual? Eu dou: as mudanças só acontecem quando fazemos algo que vai contra, totalmente contra tudo que estamos acostumados.

E virando-se para o "rei bêbado":

– Por que você aceitou seguir a música fora do ritmo?

– Nada mais fácil: nunca aprendi a dançar.

Todos riram, e a nuvem escura que estava pairando no lugar pareceu ir embora.

– Muito bem, vou começar de novo, e vocês podem seguir o que sugiro, ou podem ir embora – desta vez sou eu quem decide a hora de terminar a conferência. Uma das coisas mais agressivas no ser humano é ir contra o que acha bonito, e faremos isso hoje. Vamos dançar mal. Todo mundo.

Era apenas uma experiência a mais, e, para não deixar constrangida a dona da casa, todo mundo dançou mal. Eu lutava contra mim mesmo, porque a tendência era seguir aquela percussão maravilhosa, misteriosa. Sentia-me como se estivesse agredindo os músicos que a tocavam, o compositor que a imaginou. Volta e meia meu corpo queria lutar contra a falta de harmonia, e eu o obrigava a comportar-se como estava mandando. O garoto também dançava, rindo o tempo inteiro, mas em determinado momento parou e sentou-se no sofá, talvez exausto pelo esforço que estava fazendo. O CD foi desligado no meio de um acorde.

– Esperem.

Todos esperaram.

– Vou fazer algo que nunca fiz.

Ela fechou os olhos, e colocou a cabeça entre as mãos.

– Nunca dancei fora do ritmo...

Então, a prova parecia ter sido pior para ela que para qualquer um de nós.

– Estou mal...

Tanto o diretor como eu nos levantamos. Andrea me olhou com certa fúria, mesmo assim fui até Athena. Antes que a tocasse, ela pediu que voltássemos aos nossos lugares.

– Alguém quer dizer algo? – sua voz parecia frágil, trêmula, e ela não tirava o rosto das mãos.

– Eu quero.

Era Andrea.

– Antes, pegue meu filho e diga-lhe que está tudo bem com sua mãe. Mas preciso continuar assim, enquanto for necessário.

Viorel parecia assustado; Andrea sentou-o em seu colo e acariciou-o.

– O que você quer dizer?

– Nada. Mudei de idéia.

– A criança fez você mudar de idéia. Mas continue.

Lentamente, Athena foi descobrindo o rosto, levantando a cabeça, e sua fisionomia era de uma estranha.

– Não vou falar.

– Está bem. Então você – apontou para o velho ator – vá ao médico amanhã. Isso de não conseguir dormir, ir ao banheiro a noite inteira, é sério. É um câncer na próstata.

O homem ficou lívido.

— E você — apontou para o diretor — assuma sua identidade sexual. Não tenha medo. Aceite que detesta mulheres, e que ama os homens.

— O que você está...

— Não me interrompa. Não estou dizendo isso por causa de Athena. Estou apenas me referindo à sua sexualidade: você ama os homens, e não creio que haja nada de errado nisso.

Não estou dizendo por causa de Athena? Mas ela era Athena!

— E você — apontou para mim — venha até aqui. Ajoelhe-se diante de mim.

Com medo de Andrea, com vergonha de todos, eu fiz o que ela pedia.

— Abaixe a cabeça. Deixe-me tocar sua nuca.

Senti a pressão de seus dedos, mas nada além disso. Assim ficamos quase um minuto, quando me mandou levantar e voltar para meu lugar.

— Nunca mais precisará de comprimidos para dormir. A partir de hoje, o sono volta.

Olhei para Andrea — achei que comentaria alguma coisa, mas seu olhar parecia tão espantado quanto o meu.

Uma das atrizes, talvez a mais jovem, levantou a mão.

— Quero falar. Mas preciso saber a quem estou me dirigindo.

— Hagia Sofia.

— Quero saber se...

Era a atriz mais jovem do nosso grupo. Olhou em volta, envergonhada, mas o diretor fez um sinal com a cabeça, pedindo que continuasse.

— ... se minha mãe está bem.

— Está ao seu lado. Ontem, quando você saiu de casa, ela fez com que esquecesse a bolsa. Você voltou para apanhá-

la, e descobriu que a chave estava dentro de casa, não tinha como entrar. Perdeu uma hora buscando um chaveiro,
embora pudesse ter ido ao seu compromisso, encontrado o
homem que a esperava, e arranjado o emprego que gostaria. Mas se tudo tivesse acontecido como havia planejado
de manhã, em seis meses estaria morta em um acidente de
carro. Ontem, a falta da bolsa mudou sua vida.

A moça começou a chorar.

– Alguém mais quer perguntar algo?

Uma outra mão foi levantada; era o diretor.

– Ele me ama?

Então era verdade. A história com a mãe da moça havia
provocado um turbilhão de emoções naquela sala.

– Sua pergunta está errada. O que você precisa saber é
se está em condições de dar o amor que ele precisa. E o que
vier, ou o que não vier, será gratificante da mesma maneira. Saber-se capaz de amar é o bastante.

"Se não for ele, será outro. Porque você descobriu uma
fonte, deixou-a jorrar, e ela inundará seu mundo. Não tente manter uma distância segura para ver o que acontece;
tampouco procure ter certeza antes de dar o passo. O que
você der, você receberá – embora às vezes venha do lugar
onde menos espera."

Aquelas palavras serviam também para mim. E Athena
– ou quem quer que seja – virou-se para Andrea.

– Você!

Meu sangue gelou.

– Você tem que estar preparada para perder o universo
que criou.

– O que é "universo"?

– É o que acha que já tem. Você aprisionou seu mundo,
mas sabe que precisa libertá-lo. Sei que entende o que estou falando, embora não desejasse nunca ouvir isso.

– Entendo.

Tinha certeza que estavam falando de mim. Seria tudo aquilo uma encenação de Athena?

– Terminou – disse ela. – Traga-me a criança.

Viorel não queria ir, estava assustado com a transformação da mãe; mas Andrea o segurou carinhosamente pelas mãos, e o levou até ela.

Athena – ou Hagia Sofia, ou Sherine, não importa quem estava ali – fez a mesma coisa que fizera comigo, tocando com firmeza a nuca do menino.

– Não se assuste com as coisas que vê, meu filho. Não procure afastá-las, porque elas vão terminar indo embora de qualquer jeito; aproveite a companhia dos anjos enquanto puder. Você neste momento está com medo, mas não está com tanto medo como devia, porque sabe que somos muitos nesta sala. Você parou de rir e de dançar quando viu que eu abraçava a sua mãe, e pedia para falar através de sua boca. Saiba que ela me deu permissão, ou eu não estaria fazendo isso. Sempre apareci sob a forma de luz, e continuo sendo esta luz, mas hoje decidi falar.

O menino abraçou-a.

– Podem sair. Deixem-me ficar sozinha com ele.

Um a um, fomos saindo do apartamento, deixando a mulher com a criança. No táxi para casa, tentei puxar conversa com Andrea, mas ela pediu que, se tivéssemos que falar algo, não deveríamos nos referir ao que acabara de acontecer.

Fiquei quieto. Minha alma encheu-se de tristeza: perder Andrea era muito difícil. Por outro lado, senti uma imensa paz – os acontecimentos provocaram as mudanças, e eu não precisava passar pelo desgaste de sentar-me diante de uma mulher que amava muito, e dizer que também estava apaixonado por outra.

Neste caso, eu escolhi ficar quieto. Cheguei em casa, liguei a televisão, Andrea foi tomar seu banho. Fechei os olhos e, quando os abri, a sala estava inundada de luz; já era dia, eu havia dormido quase dez horas seguidas. Ao meu lado estava um bilhete, onde Andrea dizia que não queria me acordar, tinha ido direto para o teatro, mas deixara o café preparado. O bilhete era romântico, enfeitado com a marca de batom e um pequeno decalque de coração.

Ela não estava nem um pouco disposta a "abrir mão do seu universo". Iria lutar. E minha vida se transformaria em um pesadelo.

Naquela tarde, ela ligou, e sua voz não demonstrava nenhuma emoção especial. Contou-me que o tal ator tinha ido ao médico, fizeram um exame de toque, e descobriram que sua próstata estava anormalmente inflamada. O passo seguinte foi um exame de sangue, onde detectaram um aumento significativo de um tipo de proteína chamado PSA. Colheram material para a biópsia, mas, pelo quadro clínico, as chances de um tumor maligno eram grandes.

– O médico lhe disse: você tem sorte, mesmo que estejamos diante de um cenário ruim, ainda é possível operar, e existem 99% de chances de cura.

Deidre O'Neill, conhecida como Edda

Que Hagia Sofia, que nada! Era ela mesma, Athena, mas tocando a parte mais profunda do rio que corre por sua alma – entrando em contato com a Mãe.

Tudo que fez foi ver o que estava acontecendo em outra realidade. A mãe da moça, por estar morta, vive em um lugar sem tempo, e neste caso pode desviar o curso de um acontecimento – mas nós, seres humanos, sempre estaremos limitados a conhecer o presente. Não é pouco, diga-se de passagem: descobrir uma doença incubada antes que ela se agrave, tocar centros nervosos e desbloquear energias, isso está ao nosso alcance.

Claro que tantos morreram na fogueira, outros foram exilados, e muitos terminaram escondendo e suprimindo a centelha da Grande Mãe em nossa alma. Eu jamais procurei induzir Athena a entrar em contato com o Poder. Ela mesma decidiu fazer isso, porque a Mãe já lhe havia dado vários sinais: era uma luz enquanto dançava, transformou-se em letras enquanto aprendia caligrafia, apareceu em uma fogueira ou em um espelho. O que minha discípula não sabia era como conviver com Ela, até que fez uma coisa que provocou toda essa sucessão de acontecimentos.

Athena, que sempre dizia a todos que deviam ser diferentes, era no fundo uma pessoa igual ao resto dos mortais. Tinha um ritmo, uma velocidade de cruzeiro. Era mais curiosa? Talvez. Tinha conseguido ultrapassar suas dificuldades de julgar-se uma vítima? Com certeza. Sentia necessidade de dividir com os outros, fossem funcionários de banco ou atores, aquilo que ia aprendendo? Em alguns casos a resposta é sim, em outros eu procurei estimulá-la, porque não somos destinados à solidão, e nos conhecemos quando nos vemos no olhar dos outros.

Mas minha interferência termina aí.

Porque a Mãe queria manifestar-se naquela noite, possivelmente sussurrou algo em seu ouvido: "Vá contra tudo que aprendeu até agora – você, que é uma mestra do ritmo, deixe que ele passe pelo seu corpo, mas não o obedeça". Foi por isso que Athena sugeriu o exercício: seu inconsciente já estava preparado para conviver com a Mãe, mas ela vibrava sempre na mesma sintonia, e com isso não permitia que elementos externos pudessem se manifestar.

Comigo acontecia a mesma coisa: a melhor maneira de meditar, de entrar em contato com a luz, era fazendo tricô – algo que minha mãe me ensinara quando criança. Sabia contar os pontos, mexer as agulhas, criar belas coisas através da repetição e da harmonia. Um dia, meu protetor pediu-me para tricotar de uma maneira completamente irracional! Algo muito violento para mim, que havia aprendido o trabalho com carinho, paciência, e dedicação. Mesmo assim, ele insistiu que eu fizesse um péssimo trabalho.

Durante duas horas eu achava aquilo ridículo, absurdo, minha cabeça doía, mas não podia deixar que as agulhas guiassem minhas mãos. Qualquer um é capaz de fazer algo errado, por que estava me pedindo isso? Porque conhecia minha obsessão pela geometria e pelas coisas perfeitas.

E de repente aconteceu; eu parei com as agulhas, senti um vazio imenso, que foi preenchido por uma presença cálida, amorosa, companheira. À minha volta tudo estava diferente, e sentia vontade de dizer coisas que jamais ousaria em meu estado normal. Mas não perdi a consciência – sabia que era eu mesma, embora – aceitemos o paradoxo – não fosse a pessoa com quem estivesse acostumada a conviver.

Portanto, eu posso "ver" o que aconteceu, embora não estivesse ali; a alma de Athena seguindo os sons da música, e seu corpo indo em direção totalmente contrária. Depois de algum tempo, a alma se desligou do corpo, um espaço foi aberto, e a Mãe finalmente pôde entrar.

Melhor dizendo: uma centelha da Mãe apareceu ali. Antiga, mas com aparência jovem. Sábia, mas não onipotente. Especial, mas sem arrogância. A percepção mudou, e ela passou a ver as mesmas coisas que enxergava quando criança – os universos paralelos que povoam este mundo. Neste momento, podemos ver não apenas o corpo físico, mas as emoções das pessoas. Dizem que os gatos têm o mesmo poder, e eu acredito.

Entre o mundo físico e o espiritual existe uma espécie de manto, que varia de cor, intensidade, luz, e que os místicos chamam de "aura". A partir daí, tudo é fácil: a aura conta o que está se passando. Se eu estivesse presente ela veria uma cor violeta com algumas manchas amarelas ao redor do meu corpo. Isso significa que ainda tenho um longo caminho pela frente, e que minha missão não está ainda cumprida nesta terra.

Misturada com as auras humanas, aparecem formas transparentes – que as pessoas costumam chamar de "fantasmas". Foi o caso da mãe da menina, o único caso, aliás, onde o destino devia ser mudado. Tenho quase certeza que a tal atriz, mesmo antes de perguntar, sabia que a mãe estava ao lado, e a única surpresa foi a história da bolsa.

Antes da tal dança sem seguir o ritmo, todos ficaram intimidados. Por quê? Porque todos nós estamos acostumados a fazer as coisas "como devem ser feitas". Ninguém gosta de dar passos errados, principalmente quando estamos conscientes disso. Inclusive Athena – não deve ter sido fácil para ela sugerir algo que ia contra tudo que amava.

Fico contente que, naquele momento, a Mãe tenha vencido a batalha. Um homem tenha sido salvo do câncer, outro passou a aceitar sua sexualidade, e um terceiro deixou de tomar pílulas para dormir. Tudo porque Athena quebrou o ritmo, freando o carro quando estava a altíssima velocidade e desarrumando tudo.

Voltando ao meu tricô: usei este processo por um tempo, até que consegui provocar esta presença sem qualquer artifício, já que a conhecia, e estava me acostumando a ela. Com Athena ocorreu o mesmo – uma vez que sabemos onde estão as Portas da Percepção, fica facílimo abrir e fechá-las, desde que nos acostumemos com nosso comportamento "estranho".

E cabe acrescentar: meu tricô ficou muito mais rápido e melhor, da mesma maneira que Athena passou a dançar com muito mais alma e ritmo depois que ousou quebrar estas barreiras.

Andrea McCain, atriz

A história se espalhou como fogo; na segunda-feira seguinte, quando é folga no teatro, a casa de Athena estava cheia. Todos nós havíamos levado amigos. Ela repetiu a mesma coisa, obrigou-nos a dançar sem ritmo, como se precisasse da energia coletiva para chegar ao encontro de Hagia Sofia. O menino de novo estava presente, e eu passei a observá-lo. Quando se sentou no sofá, a música foi cortada e o transe teve início.

E começavam as consultas. Como podíamos imaginar, as três primeiras perguntas eram relacionadas com amor – se fulano vai continuar comigo, se beltrano me ama, se estou sendo traído. Athena não dizia nada. A quarta pessoa que ficou sem resposta resolveu reclamar:

– Então, estou sendo traído?

– Sou Hagia Sofia, a sabedoria universal. Vim criar o mundo sem a companhia de ninguém, exceto do Amor. Eu sou o início de tudo, e antes de mim havia o caos.

"Portanto, se algum de vocês quer controlar as forças que dominaram o caos, não perguntem a Hagia Sofia. Para mim, o amor preenche tudo. Não pode ser desejado – porque é um fim em si mesmo. Não pode trair, porque não está ligado à posse. Não pode ser mantido preso, porque é como um rio, e transbordará as barreiras. Quem tentar aprisionar o amor, tem que cortar sua fonte que o alimenta, e neste caso a água que conseguiu juntar terminará estagnada e podre."

Os olhos de Hagia percorreram o grupo – a maior parte deles estava ali pela primeira vez – e ela começou a apontar as coisas que estava vendo: ameaças de doenças, problemas no trabalho, dificuldades de relação entre pais e filhos, sexualidade, potenciais que existiam mas não estavam sendo explorados. Lembro-me que se virou para uma mulher de aproximadamente trinta anos:

– Seu pai lhe disse como as coisas deveriam ser, e como uma mulher deveria se comportar. Você sempre viveu lutando contra seus sonhos, e o "querer" nunca se manifestou.. Era sempre substituído pelo "dever" ou "esperar" ou "precisar". Mas você é uma ótima cantora. Um ano de experiência, e poderá fazer uma grande diferença em seu trabalho.

– Tenho um filho e um marido.

– Athena também tem um filho. Seu marido irá reagir no início, mas logo terminará aceitando. E não é preciso ser Hagia Sofia para saber isso.

– Talvez já esteja velha demais.

– Você está se recusando a aceitar quem é. Já não é meu problema, eu disse o que precisava ser dito.

Pouco a pouco, todas as pessoas que estavam naquela pequena sala sem poder sentar-se porque não havia lugar, suando em bicas apesar de ser ainda final de inverno, sentindo-se ridículas por ter vindo a um evento destes, foram sendo chamadas para receber os conselhos de Hagia Sofia.

A última fui eu:

– Você fica, se quiser deixar de ser duas, e passar a ser apenas uma.

Desta vez eu não estava com seu filho no colo; ele assistia a tudo, e parecia que a conversa que tiveram logo depois da primeira sessão havia sido suficiente para que perdesse o medo.

Concordei com a cabeça. Ao contrário da sessão anterior, quando as pessoas simplesmente haviam saído quando ela pediu para ficar com a criança, desta vez Hagia Sofia fez um sermão antes de terminar o ritual.

– Vocês não estão aqui para ter respostas seguras; minha missão é provocá-los. No passado, governantes e governados acudiam a oráculos, para que adivinhassem o futuro. O futuro, porém, é caprichoso, porque se guia pelas decisões tomadas aqui, no presente. Mantenham a bicicleta acelerada, porque, se o movimento acaba, vocês cairão.

"Para aqueles que neste momento estão no chão, que vieram conhecer Hagia Sofia querendo apenas que ela confirme o que gostariam que fosse verdade, por favor, não tornem a aparecer. Ou comecem a dançar, e fazer com que os que os cercam também se movam. O destino será implacável com os que querem viver em um universo que já terminou. O novo mundo é da Mãe, que veio junto com o Amor para separar os céus das águas. Quem acredita que fracassou, fracassará sempre. Quem decidiu que não pode agir diferente, será destruído pela rotina. Quem decidiu impedir as mudanças, irá transformar-se em pó. Malditos sejam os que não dançam, e impedem os outros de dançar!"

Seus olhos cuspiam fogo.

– Podem ir.

Todos saíram, eu podia ver a confusão expressa na maioria dos rostos. Vieram em busca de conforto, e haviam encontrado provocação. Chegaram querendo escutar sobre como o amor pode ser controlado, e ouviram que a chama que tudo devora jamais poderá deixar de incendiar tudo. Queriam ter certeza que suas decisões estavam certas – seus maridos, suas mulheres, seus patrões, estavam satisfeitos –, e a única coisa que encontraram foram palavras de dúvida.

Algumas pessoas, porém, sorriam. Elas haviam entendido a importância da dança, e com certeza iriam deixar que seus corpos e suas almas flutuassem a partir daquela noite – mesmo tendo que pagar um preço, como sempre ocorre.

Na sala, ficaram apenas a criança, Hagia Sofia, eu e Heron.

– Pedi para que você ficasse sozinha.

Sem dizer nada, ele pegou seu sobretudo e foi embora. Hagia Sofia me olhava. E, pouco a pouco, eu a vi transformar-se em Athena. A única maneira de descrever como se deu esta passagem é tentando compará-la com uma criança; quando é contrariada, podemos ver a irritação em seus olhos, mas logo ela se distrai, e quando a raiva vai embora parece que o menino não é mais aquele que estava chorando. A "entidade", se é que podemos chamar assim, parecia ter se dissipado no ar quando seu instrumento perdeu a concentração.

Eu agora estava diante de uma mulher que parecia exausta.

– Prepare-me um chá.

Ela estava me dando uma ordem! E não era mais a sabedoria universal, mas alguém pela qual meu homem estava interessado, ou apaixonado. Até onde iríamos com esta relação?

Mas um chá não iria destruir meu amor-próprio: fui até a cozinha, esquentei a água, coloquei folhas de camomila dentro, e voltei para a sala. O menino estava dormindo em seu colo.

– Você não gosta de mim.

Não respondi.

– Tampouco gosto de você – continuou. – É bonita, elegante, uma excelente atriz, dona de uma cultura e uma educação que eu jamais tive, embora minha família tivesse insistido muito. Mas é insegura, arrogante, desconfiada. Como disse Hagia Sofia, você é duas, quando podia ser apenas uma.

– Não sabia que se lembrava do que diz durante o transe, porque neste caso você também é duas: Athena e Hagia Sofia.

– Posso ter dois nomes, mas sou uma só – ou sou todas as pessoas do mundo. E é justamente aí que quero chegar: porque sou uma e todas, a centelha que surge quando entro em transe me dá instruções precisas. Claro que estou semiconsciente o tempo inteiro, mas falando coisas que vêm de um ponto desconhecido dentro de mim mesma; como se estivesse alimentando-me no seio da Mãe, deste leite que corre por todas as nossas almas, e transporta o conhecimento pela Terra.

"Desde a semana passada, na primeira vez que entrei em contato com esta nova forma, a primeira coisa que me dita me pareceu um absurdo: eu devia ensiná-la."

Fez uma pausa.

– Evidente que achei que estava delirando, já que não sinto a menor simpatia por você.

Fez outra pausa, maior que a primeira.

– Mas hoje a fonte insistiu nisso. E estou lhe dando esta escolha.

– Por que a chama de Hagia Sofia?

– Fui eu quem a batizou; é o nome de uma mesquita que vi em um livro, e achei muito bonita.

"Você, se quiser, poderá ser minha discípula. Foi isso que a trouxe aqui no primeiro dia. Todo este novo momento em minha vida, inclusive a descoberta de Hagia Sofia dentro de mim, foi provocado porque um dia você entrou por esta porta, e disse: 'Faço teatro e iremos montar uma peça sobre o rosto feminino de Deus. Soube que esteve no deserto e nas montanhas dos Bálcãs, junto com os ciganos, e tem informações a respeito'."

– Vai me ensinar tudo que sabe?

– Tudo o que não sei. Vou aprender à medida que estiver em contato com você, como disse na primeira vez que nos vimos, e estou repetindo agora. Depois que aprender o que preciso, seguiremos separadas nossos caminhos.

– Pode ensinar a alguém que não gosta?

– Posso amar e respeitar alguém que não gosto. Nas duas vezes em que estive em transe, enxerguei sua aura – era a mais evoluída que vi em toda a minha vida. Você pode fazer uma diferença neste mundo, se aceitar minha proposta.

– Irá me ensinar a ver auras?

– Eu mesma não sabia que era capaz disso, até que vi pela primeira vez. Se estiver no seu caminho, terminará aprendendo também esta parte.

Entendi que também podia amar alguém que não gostava. Disse que sim.

– Então vamos transformar esta aceitação em um ritual. Um rito nos joga em um mundo desconhecido, mas sabemos que com as coisas que estão ali não podemos brincar. Não basta dizer sim; precisa colocar sua vida em jogo. E sem pensar muito. Se for a mulher que imagino que seja, não irá dizer: "Preciso refletir um pouco". Irá dizer...

– Estou preparada. Vamos ao ritual. Onde aprendeu este ritual?

– Vou aprender agora. Já não preciso mais sair do meu ritmo para entrar em contato com a centelha da Mãe, porque, uma vez que ela se instala, é fácil tornar a encontrar-se com ela. Já sei a porta que preciso abrir, embora estivesse escondida no meio de muitas entradas e saídas. Tudo que preciso é de um pouco de silêncio.

Silêncio de novo!

Ficamos ali, os olhos bem abertos, fixos, como se fôssemos começar um duelo mortal. Rituais! Antes mesmo de tocar a campainha da casa de Athena pela primeira vez, já havia participado de alguns. Tudo aquilo para no final sen-

tir-me usada, diminuída, diante de uma porta que sempre
estava ao alcance de meus olhos, mas que eu não conseguia
abrir. Rituais!

Tudo que Athena fez foi tomar um pouco do chá que eu
havia preparado.

– O ritual está feito. Pedi que fizesse algo para mim, e você fez. Eu o aceitei. Agora é sua vez de pedir-me algo.

Pensei imediatamente em Heron. Mas não era o momento.

– Tire a roupa.

Ela não perguntou a razão. Olhou para o menino, cer-
tificou-se que dormia, e logo começou a retirar o suéter.

– Não precisa – eu interrompi. – Não sei por que pedi
isso.

Mas ela continuou a despir-se. A blusa, a calça *jeans*, o
sutiã – reparei em seus seios, os mais belos que tinha visto
até então. Finalmente tirou a calcinha. E ali estava, ofere-
cendo-me sua nudez.

– Abençoe-me – disse Athena.

Abençoar minha "mestra"? Mas eu havia dado o primeiro passo, não podia parar no meio – e, molhando minhas
mãos na xícara de chá, aspergi um pouco a bebida em seu
corpo.

– Da mesma maneira que esta planta foi transformada
em bebida, da mesma maneira que esta água misturou-se
com a planta, eu te abençôo, e peço à Grande Mãe que a
fonte de onde veio esta água jamais pare de jorrar, e a terra de onde veio esta planta seja sempre fértil e generosa.

Surpreendi-me com minhas palavras; não tinham saído nem de dentro, nem de fora de mim. Era como se as
conhecesse sempre, e tivesse feito isso uma infinidade de
vezes.

– Está abençoada, pode vestir-se.

Mas ela continuou nua, com um sorriso nos lábios. O que desejava? Se Hagia Sofia era capaz de ver auras, sabia que eu não tinha o menor desejo de ter relações com uma mulher.

– Um momento.

Ela pegou o menino no colo, levou-o para o seu quarto, e voltou em seguida.

– Tire também sua roupa.

Quem estava pedindo? Hagia Sofia, que me dizia do meu potencial e de quem era a discípula perfeita? Ou Athena, que eu pouco conhecia, parecia capaz de qualquer coisa, uma mulher que a vida tinha educado para ir além de seus limites, saciar qualquer curiosidade?

Havíamos entrado em um tipo de confrontação que não permitia recuos. Despi-me com a mesma desenvoltura, o mesmo sorriso, e o mesmo olhar.

Ela me pegou pela mão, e nos sentamos no sofá.

Durante a meia hora que se seguiu, Athena e Hagia Sofia manifestaram-se; queriam saber quais seriam meus próximos passos. À medida que as duas me perguntavam, eu via que tudo estava realmente escrito diante de mim, as portas sempre estiveram fechadas porque não entendia que eu era a única pessoa no mundo autorizada a abri-las.

Heron Ryan, jornalista

O secretário de redação me entrega um vídeo, e vamos até a sala de projeção para assisti-lo.

Fora filmado na manhã do dia 26 de abril de 1986, e mostra uma vida normal em uma cidade normal. Um homem sentado tomando café. A mãe passeando com o bebê pela rua. As pessoas atarefadas, indo para o trabalho, uma ou duas pessoas esperando no ponto de ônibus. Um senhor lendo um jornal em um banco de uma praça.

Mas o vídeo está com problema: aparecem várias riscas horizontais, como se o botão de "tracking" precisasse ser mexido. Levanto-me para fazer isso, o secretário me interrompe:

– É assim mesmo. Continue assistindo.

Imagens da pequena cidade do interior continuam passando, sem absolutamente nenhuma coisa interessante além das cenas da vida comum.

– É possível que algumas daquelas pessoas saibam que aconteceu um acidente a dois quilômetros dali – diz meu superior. – É possível também que saibam que ocorreram trinta mortes; um número grande, mas não o suficiente para mudar a rotina dos habitantes.

As cenas agora mostram ônibus escolares estacionando. Ali ficarão por muitos dias, sem que nada aconteça. As imagens estão muito ruins.

– Não é o "tracking". É a radiação. O vídeo foi feito pela KGB, a polícia secreta da União Soviética

"Na noite do dia 26 de abril, à 1h23 da manhã, o pior desastre criado pela mão do homem aconteceu em Chernobyl, Ucrânia. Com a explosão de um reator nuclear, as pessoas da área foram submetidas a uma radiação noventa vezes maior que a da bomba de Hiroshima. Era necessário evacuar imediatamente a região, mas ninguém, absolutamente ninguém, disse nada – afinal de contas, o governo não comete erros. Só uma semana depois, apareceu na página 32 do jornal local uma pequena nota de cinco linhas, falando da morte dos operários, e não dando maiores explicações. Nesse meio tempo, foi comemorado o Dia do Trabalho em toda a ex-União Soviética, e em Kiev, capital da Ucrânia, as pessoas desfilam sem saber que a morte invisível estava no ar."

E conclui:

– Quero que vá até lá ver como está Chernobyl hoje em dia. Acaba de ser promovido a repórter especial. Terá um aumento de 20%, além de poder sugerir que tipo de artigo devemos publicar.

Eu devia dar saltos de alegria, mas fui possuído de uma tristeza imensa, que precisava disfarçar. Impossível argumentar com ele, dizer que neste momento existiam duas mulheres em minha vida, eu não queria sair de Londres, era minha vida e meu equilíbrio mental que estavam em jogo. Pergunto quando devo viajar, responde que o mais breve possível, porque corriam boatos de que outros países estavam aumentando significativamente a produção de energia nuclear.

Consigo negociar uma saída honrosa, explicando que primeiro precisava ouvir especialistas, entender direito o assunto, e, assim que tivesse recolhido o material necessário, embarcaria sem demora.

Ele concorda, aperta minha mão, me dá os parabéns. Não tenho tempo de conversar com Andrea – quando chego em casa ela ainda não voltou do teatro. Caio direto no sono, e de novo acordo com o tal bilhete dizendo que tinha saído para trabalhar, e o café estava na mesa.

Vou para o trabalho, procuro agradar o chefe que "melhorou minha vida", telefono para especialistas em radiação e energia. Descubro que um total de 9 milhões de pessoas no mundo inteiro foram afetadas diretamente pelo desastre, inclusive de 3 a 4 milhões de crianças. As trinta mortes se transformaram, segundo o especialista John Gofmans, em 475 mil casos de câncer fatais, e um número igual de câncer não fatais.

Um total de 2 mil cidades e vilarejos foram simplesmente riscados do mapa. Segundo o Ministério da Saúde da Bielo-Rússia, o índice de câncer na tiróide no país deve aumentar consideravelmente entre 2005 e 2010, como conseqüência da radiatividade que ainda continua a fazer efeito. Outro especialista me explica que, além destes 9 milhões de pessoas diretamente expostas à radiação, mais 65 milhões foram indiretamente afetadas através do consumo de alimentos contaminados em muitos países do mundo.

É um assunto sério, que merece ser tratado com respeito. No final do dia volto à sala do secretário de redação e sugiro que eu vá visitar a cidade apenas no dia do aniversário do acidente – até lá posso fazer mais pesquisas, ouvir mais especialistas, e ver como o governo inglês acompanhou a tragédia. Ele concorda.

Ligo para Athena – afinal ela diz que namora alguém da Scotland Yard, e este é o momento de lhe pedir um favor, já que Chernobyl não é um assunto classificado como secreto, e a União Soviética não existe mais. Ela promete que irá conversar com o seu "namorado", mas diz que não garante ter as respostas que desejo.

Diz também que está partindo para a Escócia no dia seguinte, retornando apenas para a reunião do grupo.

– Que grupo?

O grupo, responde. Então agora aquilo vai transformar-se em rotina? Quando poderemos nos encontrar, conversar, esclarecer as coisas soltas no ar?

Mas ela já desligou. Volto para casa, vejo os noticiários, janto sozinho, vou buscar Andrea no teatro. Chego a tempo de assistir ao final da peça e, para minha surpresa, parece que a pessoa que está ali no palco não é a mesma com quem convivi durante quase dois anos; há algo de mágico em seus gestos, os monólogos e diálogos saem com uma intensidade com a qual não estou acostumado. Estou vendo uma estranha, uma mulher que desejaria ter ao meu lado – e me dou conta que a tenho ao meu lado, não é de maneira nenhuma uma estranha para mim.

– Como foi sua conversa com Athena? – pergunto na volta para casa.

– Foi bem. E como está o trabalho?

Mudou de assunto. Conto que fui promovido, falo de Chernobyl, e ela não demonstra muito interesse. Começo a achar que estou perdendo o amor que tinha, e não ganhei o amor que esperava. Entretanto, assim que chegamos ao apartamento ela me convida para tomarmos banho juntos, e logo estamos entre os lençóis. Antes, ela colocou no volume máximo a tal música de percussão (explica que conseguiu uma cópia), e disse que eu não pensasse nos vizinhos – a gente se preocupava demais com eles, e não vivia jamais nossas vidas.

O que ocorre, dali por diante, é algo que ultrapassa minha compreensão. Será que a mulher que, neste momento, faz amor comigo de uma maneira absolutamente selvagem, tinha descoberto finalmente sua sexualidade – e isso havia sido ensinado ou provocado por outra mulher?

Porque, enquanto me agarrava com uma violência nunca vista, dizia sem parar:

– Hoje eu sou seu homem, e você é minha mulher.

E ali ficamos por quase uma hora, e experimentei coisas

que nunca tinha ousado antes. Em determinados momentos tive vergonha, vontade de pedir que parasse, mas ela parecia estar com pleno domínio da situação, eu me entreguei – porque não tinha escolha. E, o que é pior, tinha muita curiosidade.

No final, estava exausto, mas Andrea parecia com mais energia que antes.

– Antes de dormir, quero que saiba uma coisa – disse ela. – Se você for adiante, o sexo lhe dará possibilidade de fazer amor com os deuses e as deusas. Foi isso que você experimentou hoje. Quero que vá dormir sabendo que eu despertei a Mãe que estava em você.

Tive vontade de perguntar se havia aprendido aquilo com Athena, mas não tive coragem.

– Diga-me que gostou de ser mulher por uma noite.

– Gostei. Não sei se gostaria sempre, mas foi algo que me assustou e me alegrou ao mesmo tempo.

– Diga-me que sempre quis experimentar o que experimentou.

Uma coisa é deixar-se levar pela situação, a outra é comentar friamente o assunto. Eu não disse nada – embora não duvidasse que ela soubesse a resposta.

– Pois bem – continuou Andrea. – Isso tudo estava dentro de mim e eu não sabia. E estava dentro de mim a máscara que caiu hoje quando eu estava no palco: você notou algo diferente?

– Claro. Irradiava uma luz especial.

– Carisma: a força divina que se manifesta no homem e na mulher. O poder sobrenatural que não precisamos mostrar para ninguém, porque todos conseguem enxergar, até os menos sensíveis. Mas só acontece depois que ficamos nus, morremos para o mundo, e renascemos para nós mesmos. Ontem à noite, eu morri. Hoje, quando pisei o palco e vi que fazia exatamente o que havia escolhido, eu renasci de minhas cinzas.

"Porque eu sempre andei tentando ser quem era, mas não conseguia. Tentava sempre impressionar os outros, tinha conversas inteligentes, agradava meus pais e ao mesmo tempo usava todos os artifícios para conseguir fazer as coisas que gostava. Eu sempre abri meu caminho com sangue, lágrimas, força de vontade – mas ontem entendi que escolhi o processo errado. O meu sonho não requer nada disso, apenas que eu me entregue a ele, e morda os dentes se achar que estou sofrendo, porque o sofrimento passa.

– Por que está me dizendo isso?

– Deixe-me terminar. Neste percurso onde o sofrimento parecia ser a única regra, eu lutei por coisas que não adianta lutar. Como amor, por exemplo: ou a gente sente, ou não há força no mundo que consiga provocá-lo.

"Podemos fingir que amamos. Podemos nos acostumar com o outro. Podemos viver uma vida inteira de amizade, cumplicidade, criar uma família, ter sexo todas as noites, ter orgasmo, e mesmo assim sentir que há um vazio patético em tudo isso, que alguma coisa importante está faltando. Em nome do que havia aprendido sobre as relações entre um homem e uma mulher, procurei lutar por coisas que não valiam tanto a pena. E isso inclui você, por exemplo.

"Hoje, enquanto fazíamos amor, enquanto eu dava o máximo, e percebia que você também estava dando o seu melhor, entendi que o seu melhor já não me interessa mais. Vou dormir ao seu lado, e amanhã estou indo embora. O teatro é meu ritual, ali eu posso expressar e desenvolver o que quero."

Comecei a me arrepender de tudo – de ter ido à Transilvânia para cruzar com uma mulher que podia estar destruindo minha vida, provocado o primeiro encontro do "grupo", confessado meu amor em um restaurante. Naquele momento, odiei Athena.

– Sei o que você está pensando – disse Andrea. – Que sua amiga me fez uma lavagem cerebral; não é nada disso.

– Eu sou um homem, embora hoje tenha me comportado na cama como mulher. Eu sou uma espécie em extinção, porque não vejo muitos homens ao meu redor. Poucas pessoas arriscam o que eu arrisco.

– Tenho certeza, e isso faz com que o admire. Mas será que você não vai me perguntar quem eu sou, o que quero, o que desejo?

Perguntei.

– Quero tudo. Quero a selvageria e a ternura. Quero incomodar os vizinhos e procurar acalmá-los. Não quero mulheres na cama, mas quero homens, verdadeiros homens – como você, por exemplo. Que me amem ou que me usem, isso não tem importância – o meu amor é maior que isso. Quero amar livremente, e quero deixar que as pessoas à minha volta façam a mesma coisa.

"Finalmente: tudo que conversei com Athena foi sobre as coisas simples que despertam a energia reprimida. Como fazer amor, por exemplo. Ou andar na rua repetindo 'eu estou aqui e agora'. Nada de especial, nenhum ritual secreto; a única coisa que fazia de nosso encontro algo relativamente incomum é que as duas estavam nuas. A partir de agora, ela e eu nos veremos sempre nas segundas-feiras, e, se eu tiver qualquer coisa a comentar, farei isso depois da sessão – não tenho a menor vontade de ser sua amiga.

"Da mesma maneira, quando ela sente vontade de dividir algo, vai até a Escócia conversar com esta tal de Edda, que pelo visto você também conhece, e nunca me contou."

– Mas eu não me lembro!

Senti que Andrea estava se acalmando aos poucos. Preparou duas taças de café, e bebemos juntos. Ela voltou a sorrir, perguntou de novo sobre minha promoção, disse que estava preocupada com as reuniões de segunda-feira, porque naquela manhã soubera que os amigos dos amigos estavam convidando outras pessoas, e o local era pequeno. Eu fazia um esforço incomum para fingir que tudo não tinha passado de um ataque de nervos, uma tensão pré-menstrual, uma crise de ciúmes.

Abracei-a, ela encolheu-se no meu ombro; esperei que dormisse, embora estivesse exausto. Naquela noite, não sonhei com absolutamente nada, não tive qualquer pressentimento.

E na manhã seguinte, quando acordei, vi que as roupas dela não estavam mais lá; a chave de casa estava sobre a mesa, sem nenhum bilhete de despedida.

Deidre O'Neill, conhecida como Edda

As pessoas lêem muitas histórias de bruxas, de fadas, de paranormais, de meninos possuídos por espíritos malignos. Assistem a muitos filmes com rituais em que pentagramas, espadas, e invocações são feitas. Tudo bem, é preciso deixar que a imaginação funcione, que estas etapas sejam vividas; e quem passa por elas sem se deixar enganar termina entrando em contato com a Tradição.

A verdadeira Tradição é isso: o mestre jamais diz ao discípulo o que deve fazer. São apenas companheiros de viagem, dividindo a mesma e difícil sensação de "estranhamento" diante das percepções que mudam sem parar, dos horizontes que se abrem, das portas que se fecham, dos rios que às vezes parecem atrapalhar o caminho – e que na verdade não devem ser atravessados, mas percorridos.

A diferença entre mestre e discípulo é apenas uma: o primeiro tem um pouco menos de medo que o segundo. Então, quando se sentam ao redor de uma mesa ou de uma fogueira para conversar, o mais experiente sugere: "Por que não faz isso?". Nunca diz: "Ande por aqui, e irá chegar aonde eu cheguei", já que cada caminho é único, e cada destino é pessoal.

O verdadeiro mestre provoca no discípulo a coragem de desequilibrar seu mundo, embora também ele esteja com receio das coisas que tem encontrado, e mais receio ainda do que lhe reserva a próxima curva.

Eu era uma médica jovem e entusiasmada, que foi para o interior da Romênia em um programa de intercâmbio do governo inglês, procurando ajudar o meu próximo. Parti carregando medicamentos na bagagem, e conceitos na cabeça: tinha idéias claras a respeito de como as pessoas devem se comportar, do que é necessário para ser feliz, dos sonhos que devemos manter acesos dentro de nós, de como as relações humanas precisam ser desenvolvidas. Desembarquei em Bucareste durante aquela sangrenta e delirante ditadura, fui para a Transilvânia como parte de um programa de vacinação em massa dos habitantes do lugar.

Não entendia que estava sendo apenas uma peça a mais em um complicado tabuleiro de xadrez, onde mãos invisíveis manipulavam meu ideal, e tudo aquilo que pensava estar fazendo pela humanidade tinha segundas intenções: estabilizar o governo do filho do ditador, permitir que a Inglaterra vendesse armas em um mercado que era dominado pelos soviéticos.

Minhas boas intenções logo caíram por terra quando comecei a ver que as vacinas apenas não bastavam, existiam outras doenças grassando na região, eu escrevia sem parar pedindo recursos e não os conseguia – diziam que não me preocupasse além daquilo que me haviam pedido.

Senti-me impotente, revoltada. Conheci a miséria de perto, teria condições de fazer alguma coisa se pelo menos alguém me estendesse umas poucas libras, mas não estavam muito interessados nos resultados. Nosso governo queria apenas notícias em jornais, de modo que pudesse dizer aos seus partidos políticos ou aos seus eleitores que tinham enviado grupos para diversos lugares do mundo em missão humanitária. Tinham boas intenções – além de vender armas, claro.

Eu me desesperei; que diabos era este mundo? Certa noite, parti para a floresta gelada blasfemando contra Deus, que era injusto com tudo e com todos. Foi quando eu estava sentada ao pé de um carvalho que o meu protetor se aproximou. Disse que eu podia morrer de frio – respondi que era médica, sabia os limites do corpo, e no momento em que estivesse me aproximando destes limites, voltaria para o acampamento. Perguntei o que ele fazia ali.

– Converso com uma mulher que me ouve, já que os homens ficaram surdos.

Achei que se referia a mim – mas não, a mulher era a própria floresta. Depois de ver aquele homem andando pelo bosque, fazendo gestos e dizendo coisas que era incapaz de compreender, uma certa paz instalou-se no meu coração; afinal de contas, eu não era a única no mundo a ficar falando sozinha. Quando me preparava para voltar, ele tornou a vir ao meu encontro.

– Sei quem você é – disse. – Na aldeia tem fama de uma pessoa boa, sempre bem-humorada e pronta para ajudar os outros, mas eu vejo algo diferente: raiva e frustração.

Sem saber se estava diante de um espião do governo, resolvi dizer tudo que estava sentindo – eu precisava desabafar mesmo correndo o risco de ser presa. Caminhamos juntos em direção ao hospital de campanha onde eu trabalhava; levei-o ao dormitório, que naquele momento estava vazio (meus companheiros se divertiam em uma festa anual que acontecia na cidade), e convidei-o para tomar algo. Ele retirou uma garrafa do bolso:

– Palinka – disse, referindo-se à bebida tradicional do país, cujo teor alcoólico é altíssimo. – Sou eu quem convida.

Bebemos juntos, não percebi que estava ficando cada vez mais embriagada; só me dei conta do meu estado quando tentei ir ao banheiro, tropecei em algo e caí no chão.

– Não se mexa – disse o homem. – Veja bem o que está diante dos seus olhos.

Uma fila de formigas.

– Todos acham que elas são muito sábias. Possuem memória, inteligência, capacidade de organização, espírito de sacrifício. Buscam alimento no verão, guardam para o inverno, e agora saem de novo, nesta primavera gelada, para trabalhar. Se amanhã o mundo fosse destruído por uma guerra atômica, as formigas sobreviveriam.

– Como é que o senhor sabe tudo isso?

– Estudei biologia.

– E por que diabos não trabalha para melhorar o estado do seu povo? O que faz no meio da floresta, falando sozinho com as árvores?

– Em primeiro lugar eu não estava sozinho; além das árvores, você estava me escutando. Mas respondendo à sua pergunta: deixei a biologia para dedicar-me ao trabalho de ferreiro.

Levantei-me com muito custo. A cabeça continuava girando, mas eu estava consciente o bastante para entender a situação daquele pobre coitado. Apesar da universidade, não conseguiu encontrar emprego. Disse que o mesmo acontecia no meu país.

– Não se trata disso; deixei a biologia porque queria trabalhar como ferreiro. Desde criança era fascinado por aqueles homens martelando o aço, compondo uma música estranha, espalhando fagulhas ao redor, colocando o ferro em brasa na água, criando nuvens de vapor. Eu era um biólogo infeliz, porque meu sonho era fazer o metal rígido ganhar formas suaves. Até que um dia apareceu um protetor.

– Um protetor?

– Digamos que, ao ver estas formigas fazendo exatamente o que estão programadas para fazer, você exclame: que fantástico! Os guardas são geneticamente preparados para sacrificar-se pela rainha, os operários carregam folhas dez vezes mais pesadas que eles, os engenheiros preparam túneis que resistem a tempestades e inundações. Entram em batalhas mortais com seus inimigos, sofrem pela comunidade, e jamais se perguntam: o que estamos fazendo aqui?

"Os homens tentam imitar a sociedade perfeita das formigas, e eu como biólogo estava cumprindo meu papel, até que alguém apareceu com esta pergunta:

"'Você está contente com o que faz?'

"'Eu disse: claro que estou, sou útil ao meu povo.'

"'E isso basta?'

"Eu não sabia se bastava, mas disse que ele me parecia uma pessoa arrogante e egoísta.

"Ele respondeu: 'Pode ser. Mas tudo que você conseguirá é continuar repetindo o que vem sendo feito desde que o homem se entende por homem – manter as coisas organizadas'.

"'Mas o mundo progrediu', respondi. Ele perguntou se eu sabia história – claro que sabia. Fez outra pergunta: há milhares de anos já não éramos capazes de construir grandes edifícios, como as pirâmides? Não éramos capazes de adorar deuses, de tecer, de fazer fogo, de arranjar amantes e esposas, de transportar mensagens escritas? Claro que sim. Mas, embora nos tivéssemos organizado para substituir os escravos gratuitos por escravos com salário hoje em dia, todos os avanços tinham acontecido apenas no campo da ciência. Os seres humanos ainda continuavam com as mesmas perguntas de seus ancestrais. Ou seja – não tinham evoluído absolutamente nada. A partir deste momento, entendi que aquela pessoa que me fazia tais perguntas era alguém enviado pelo céu, um anjo, um protetor."

– Por que o chama de protetor?

– Porque me disse que existiam duas tradições: uma que nos faz repetir a mesma coisa através dos séculos. A outra que nos abre a porta do desconhecido. Mas esta segunda tradição é incômoda, desconfortável, e perigosa, porque, se tiver muitos adeptos, terminará destruindo a sociedade que custou tanto para ser organizada tendo como exemplo as formigas. Portanto, esta segunda tradição tornou-se secreta, e só conseguiu sobreviver tantos séculos porque seus adeptos criaram uma linguagem oculta, através de símbolos.

– Você perguntou mais?

– Evidente, porque, embora eu negasse, ele sabia que eu não estava satisfeito com o que fazia. Meu protetor comentou: "Tenho medo de dar passos que não estão no mapa, mas, apesar dos meus terrores, no final do dia a vida me parece muito mais interessante".

"Insisti sobre a tradição, e ele disse algo como 'enquanto Deus for apenas homem, teremos sempre alimento para comer e casa para morar. Quando a Mãe finalmente reconquistar sua liberdade, talvez tenhamos que dormir ao relento e viver de amor, ou talvez sejamos capazes de equilibrar emoção e trabalho'.

"O homem que viria a ser meu protetor, me perguntou: 'Se você não fosse biólogo, o que seria?'.

"Eu disse: 'Ferreiro, mas não dá dinheiro'. Ele respondeu: 'Pois quando se cansar de ser o que não é vá divertir-se e celebrar a vida, batendo com um martelo em um ferro. Com o tempo, descobrirá que isso lhe dará mais do que prazer: lhe dará um sentido'.

"'Como sigo esta tradição de que você falou?'

"'Já disse, pelos símbolos', respondeu ele. 'Comece fazendo o que quer, e tudo o mais lhe será revelado. Acredite que Deus é mãe, cuida dos seus filhos, jamais deixa que nenhum mal lhe aconteça. Eu fiz isso, e sobrevivi. Descobri que existem outras pessoas que também fazem isso – mas são confundidas com loucas, irresponsáveis, supersticiosas. Procuram na natureza a inspiração que está ali, desde que o mundo é mundo. Construímos pirâmides, mas também desenvolvemos símbolos.'

"Tendo dito isso, foi embora e nunca mais o vi.

"Sei apenas que, a partir daquele momento, os símbolos começaram a aparecer porque meus olhos tinham sido abertos por aquela conversa. Custou muito, mas certa tarde disse à minha família que, embora eu tivesse tudo que um homem sonha, estava infeliz – na verdade, tinha nascido para ser ferreiro. Minha mulher reclamou, dizendo: 'Você que nasceu cigano, que teve que enfrentar tantas humilhações para chegar aonde chegou, agora vai querer voltar atrás? Meu filho ficou contentíssimo, porque também gostava de ver os ferreiros em nossa aldeia, e detestava os laboratórios das grandes cidades.

"Passei a dividir meu tempo entre as pesquisas biológicas, e o trabalho de ajudante de um ferreiro. Vivia cansado, mas estava mais alegre que antes. Certo dia, larguei o emprego e montei minha própria ferraria – que deu completamente errado no início; justamente quando eu começava a acreditar na vida, as coisas pioravam sensivelmente. Um dia, estava trabalhando, e percebi que ali, diante de mim, estava um símbolo.

"Recebia o aço não trabalhado, e precisava transformálo em peças para automóveis, máquinas agrícolas, utensílios de cozinha. Como isso é feito? Primeiro, eu aqueço a chapa de aço num calor infernal, até que ela fique vermelha. Em seguida, sem qualquer piedade, eu pego o martelo mais pesado, e aplico vários golpes, até que a peça adquira a forma desejada.

"Logo ela é mergulhada num balde de água fria, e a oficina inteira se enche com o barulho do vapor, enquanto a peça estala e grita por causa da súbita mudança de temperatura.

"Tenho que repetir este processo até conseguir a peça perfeita: uma vez apenas não é suficiente."

O ferreiro deu uma longa pausa, acendeu um cigarro, e continuou:

– Às vezes, o aço que chega às minhas mãos não consegue agüentar este tratamento. O calor, as marteladas, e a água fria terminam por enchê-lo de rachaduras. E eu sei que jamais se transformará numa boa lâmina de arado, ou em um eixo de motor. Então, eu simplesmente o coloco no monte de ferro-velho que você viu na entrada da minha ferraria.

Mais uma pausa, e o ferreiro concluiu:

– Sei que Deus está me colocando no fogo das aflições. Tenho aceitado as marteladas que a vida me dá, e às vezes sinto-me tão frio e insensível como a água que faz sofrer o aço. Mas a única coisa que peço é: "Meu Deus, minha Mãe, não desista, até que eu consiga tomar a forma que espera de mim. Tente da maneira que achar melhor, pelo tempo que quiser – mas jamais me coloque no monte de ferro-velho das almas".

Quando terminei minha conversa com aquele homem, apesar de bêbada, sabia que minha vida havia mudado. Havia uma tradição por detrás de tudo aquilo que aprendemos, e eu precisava ir era em busca de pessoas que, consciente ou inconscientemente, conseguiam manifestar este lado feminino de Deus. Em vez de ficar praguejando contra meu governo e as manipulações políticas, resolvi fazer o que realmente tinha vontade: curar as pessoas. O resto não me interessava mais.

Como não tinha os recursos necessários, aproximei-me de mulheres e homens da região, que me guiaram ao mundo das ervas medicinais. Comecei a aprender que existia uma tradição popular que remontava a um passado remotíssimo – era transmitida de geração a geração através da experiência, e não do conhecimento técnico. Com esta ajuda, pude ir muito mais além do que minhas possibilidades permitiam, porque eu não estava ali apenas para cumprir uma tarefa da universidade, ou ajudar meu governo a vender armas, ou fazer propaganda inconsciente de partidos políticos.

Eu estava ali porque curar as pessoas me deixava contente.

Isso me aproximou da natureza, da tradição oral, e das plantas. De volta à Inglaterra, resolvi conversar com os médicos, e perguntava: "Vocês sabem exatamente os remédios que devem receitar, ou... às vezes são ajudados pela intuição?". A quase totalidade, depois que o gelo da conversa era quebrado, dizia que muitas vezes eram guiados por uma voz, e que quando desrespeitavam seus conselhos, terminavam errando o tratamento. Evidente que utilizam toda a técnica disponível, mas sabem que existe um canto, um canto escuro, onde estava realmente o sentido da cura, e a melhor decisão a tomar.

Meu protetor desequilibrou meu mundo – embora fosse apenas um ferreiro cigano. Eu costumava ir pelo menos uma vez por ano à sua aldeia, e discutíamos como a vida se abre diante de nossos olhos quando ousamos ver as coisas de modo diferente. Em algumas destas visitas, encontrei outros discípulos seus, e juntos comentávamos nossos medos e nossas conquistas. O protetor dizia: eu também fico apavorado, mas nestas horas descubro uma sabedoria que está além de mim, e sigo adiante.

Ganho hoje uma fortuna como médica em Edimburgo, e ganharia mais dinheiro ainda se resolvesse trabalhar em

Londres, mas prefiro aproveitar a vida e ter meus momentos de folga. Faço aquilo que gosto: combino os processos de cura dos antigos, a Tradição Arcana, com as técnicas mais modernas da medicina atual – a Tradição de Hipócrates. Estou escrevendo um tratado a respeito, e muitas pessoas da comunidade "científica", ao verem meu texto publicado em uma revista especializada, ousarão dar passos que no fundo sempre quiseram dar.

Não acredito que a cabeça seja a fonte de todos os males; existem doenças. Acho que antibióticos e antivirais foram grandes passos para a humanidade. Não pretendo fazer com que um paciente meu cure apendicite apenas com meditação – o que ele precisa é de uma boa e rápida cirurgia. Enfim, dou meus passos com coragem e medo, procuro técnica e inspiração. E sou prudente o bastante para não ficar falando isso por aí, caso contrário iriam logo me tachar de curandeira, e muitas vidas que eu poderia salvar terminariam sendo perdidas.

Quando estou em dúvida, peço ajuda à Grande Mãe. Nunca me deixou sem resposta. Mas sempre me aconselhou a ser discreta; com toda certeza deu o mesmo conselho à Athena, pelo menos em duas ou três ocasiões.

Mas ela estava fascinada demais pelo mundo que começava a descobrir, e não escutou.

Um jornal londrino, 24 de agosto de 1994

A BRUXA DE PORTOBELLO
LONDRES (copyright Jeremy Lutton) – "Por estas e outras razões eu não acredito em Deus. Veja só como se comportam aqueles que acreditam!" Assim reagiu Robert Wilson, um dos comerciantes de Portobello Road.

A rua, conhecida no mundo inteiro por seus antiquários e sua feira de objetos usados aos sábados, transformou-se ontem à noite em uma praça de guerra, exigindo intervenção de pelo menos cinqüenta policiais do Royal Borough of Kensington and Chelsea para acalmar os ânimos. No final do tumulto, cinco pessoas estavam feridas, embora nenhuma em estado grave. O motivo da batalha campal, que durou quase duas horas, foi uma manifestação convocada pelo Reverendo Ian Buck contra aquilo que chamou de "culto satânico no coração da Inglaterra".

Segundo Buck, há seis meses um grupo de pessoas suspeitas não deixava a vizinhança dormir em paz nas noites de segunda-feira, dia em que invocavam o demônio. As cerimônias eram conduzidas pela libanesa Sherine H. Khalil, que se autonomeava Athena, a deusa da sabedoria.

Reunia geralmente duas centenas de pessoas no antigo armazém de cereais da Companhia das Índias, mas a multidão vinha aumentando com o passar do tempo, e nas semanas passadas um grupo igualmente numeroso ficava do lado de fora esperando uma oportunidade para entrar e participar do culto. Vendo que nenhuma de suas reclamações verbais, petições, abaixo-assinados, notas para jornais, havia dado resultado, o reverendo resolveu mobilizar sua comunidade, pedindo que às 19 horas de ontem os seus fiéis se colocassem do lado de fora do armazém, impedindo a entrada dos "adoradores de Satanás".

"Assim que recebemos a primeira denúncia, mandamos alguém para inspecionar o local, mas não foi encontrado nenhum tipo de droga ou indício de atividade ilícita" – disse um oficial, que preferiu não ser identificado já que acabam de abrir um inquérito para apurar o que aconteceu. – "Como a música sempre era desligada às 10 horas da noite, não havia violações à lei do silêncio, e não podemos fazer nada. A Inglaterra permite a liberdade de culto."

O Reverendo Buck tem outra versão para o caso:

"Na verdade, esta bruxa de Portobello, esta mestra do charlatanismo, tem contatos com altas esferas do governo, daí a passividade de uma polícia paga com o dinheiro do contribuinte para manter a ordem e a decência. Vivemos em um momento em que tudo é permitido; a democracia está sendo engolida e destruída por causa de sua liberdade ilimitada."

O pastor afirma que logo no início desconfiou do grupo; haviam alugado um imóvel caindo aos pedaços, e passavam dias inteiros tentando recuperá-lo, "numa clara demonstração de que pertenciam a uma seita, e tinham sido submetidos à lavagem cerebral, porque ninguém trabalha de graça neste mundo". Ao ser perguntado se os seus fiéis também não se dedicavam a trabalhos caritativos ou de apoio à comunidade, Buck alegou que "o que fazemos é em nome de Jesus".

Ontem à noite, ao chegar ao armazém onde seus seguidores a aguardavam do lado de fora, Sherine Khalil, seu filho, e alguns de seus amigos foram impedidos de entrar pelos paroquianos do Reverendo Buck, que carregavam cartazes e utilizavam megafones conclamando a vizinhança a juntar-se a eles. O bate-boca logo degenerou em agressões físicas, e em pouco tempo era impossível controlar ambos os lados.

"Dizem que lutam em nome de Jesus; mas na verdade o que desejam é fazer com que continuemos a não escutar as palavras de Cristo, que dizia 'todos nós somos deuses'" – afirmou a conhecida atriz Andrea McCain, uma das seguidoras de Sherine Khalil, a Athena. A senhorita McCain recebeu um corte no supercílio direito, foi imediatamente medicada, e deixou o local antes que a reportagem pudesse descobrir mais alguma coisa sobre a sua relação com o culto.

Para a Sra. Khalil, que procurava acalmar seu filho de oito anos logo que a ordem foi restabelecida, tudo que acontece no antigo armazém é uma dança coletiva, seguida da invocação a uma entidade conhecida como Hagia Sofia, a quem são feitas perguntas. A celebração termina com uma espécie de sermão e uma oração coletiva em homenagem à Grande Mãe. O oficial que foi encarregado de apurar as primeiras denúncias confirmou suas palavras.

Pelo que apuramos, a comunidade não possui nome ou registro como sociedade beneficente. Mas, para o advogado Sheldon Williams, isso não é necessário: "Estamos em um país livre, as pessoas podem se reunir em recintos fechados para eventos sem fins lucrativos, desde que isso não incentive a quebra de qualquer lei de nosso código civil, como seria a incitação ao racismo, ou consumo de entorpecentes".

A Sra. Khalil rejeitou enfaticamente qualquer possibilidade de interromper os seus cultos por causa dos distúrbios.

"Formamos um grupo para nos encorajar mutuamente, já que é muito difícil enfrentar sozinhos as pressões da sociedade", comentou. "Exijo que o seu jornal denuncie esta pressão religiosa que viemos sofrendo ao longo de todos estes séculos. Sempre que não fazemos as coisas de acordo

com as religiões instituídas e aprovadas pelo Estado, somos
reprimidos – como tentaram fazer hoje. Acontece que antes caminhávamos para o calvário, para as prisões, para as
fogueiras, para o exílio. Mas agora temos condições de reagir, e a força será respondida com a força, da mesma maneira que a compaixão também será paga com compaixão."

Ao ser confrontada com as acusações do Reverendo Buck,
ela acusou-o de "manipular seus fiéis, usando a intolerância como pretexto, e a mentira como arma para ações violentas".

Segundo o sociólogo Arthaud Lenox, fenômenos como
este tendem a se repetir nos próximos anos, possivelmente
envolvendo confrontações mais sérias entre religiões estabelecidas. "No momento em que a utopia marxista provou
sua total incompetência para canalizar os ideais da sociedade, o mundo agora se volta para um despertar religioso,
fruto do pavor natural da civilização pelas datas redondas.
Entretanto, acredito que, quando o ano 2000 chegar e o mundo continuar existindo, o bom senso prevalecerá, e as religiões voltarão a ser apenas um refúgio para gente mais fraca, que está sempre em busca de guias."

A opinião é contestada por D. Evaristo Piazza, bispo auxiliar do Vaticano no Reino Unido: "O que vemos surgir
não é um despertar espiritual que todos nós ansiamos, mas
uma onda daquilo que os americanos chamam de Nova Era,
espécie de caldo de cultura onde tudo é permitido, os dogmas não são respeitados, e as idéias mais absurdas do passado voltam a assolar a mente humana. Pessoas inescrupulosas como esta senhora estão tentando infundir suas idéias
falsas em mentes fracas e sugestionáveis, com o único objetivo de lucro financeiro e poder pessoal".

O historiador alemão Franz Herbert, atualmente fazendo estágio no Instituto Goethe de Londres, tem uma idéia diferente. "As religiões estabelecidas deixaram de responder as questões fundamentais do homem – como sua identidade e sua razão de viver. Em vez disso, se concentraram apenas em uma série de dogmas e normas voltadas para uma organização social e política. Desta maneira, as pessoas em busca de uma espiritualidade autêntica estão partindo em direção a novos rumos; isso significa, sem dúvida nenhuma, uma volta ao passado e aos cultos primitivos, antes destes cultos serem contagiados pelas estruturas de poder."

No posto policial onde a ocorrência foi registrada, o Sargento William Morton informou que caso o grupo de Sherine Khalil resolva realizar sua reunião na próxima segunda-feira e achar que está sendo ameaçado, deve solicitar por escrito proteção policial, evitando que os incidentes se repitam. (*Colaborou na reportagem Andrew Fish; fotos de Mark Guillhem.*)

Heron Ryan, jornalista

Li a reportagem no avião quando voltava da Ucrânia cheio de dúvidas. Não tinha ainda conseguido saber se a tragédia de Chernobyl havia sido realmente grande, ou fora usada pelos grandes produtores de petróleo para inibir o uso de outras fontes de energia.

Fiquei assustado com o artigo que tinha em mãos. As fotos mostravam algumas vitrines quebradas, um Reverendo Buck colérico, e – ali estava o perigo – uma bela mulher, com olhos de fogo, abraçada ao seu filho. Entendi imediatamente o que poderia acontecer de bom e de ruim. Fui direto do aeroporto para Portobello, convencido de que ambas as minhas previsões se transformariam em realidade.

No lado positivo, a reunião da segunda-feira seguinte foi um dos eventos de maior sucesso na história do bairro: veio gente de todo o bairro, algumas curiosas para encontrar a tal entidade mencionada na matéria, outras com cartazes defendendo a liberdade de culto e de expressão. Como o lugar não comportava mais de duzentas pessoas, a multidão ficou espremida na calçada, esperando ao menos um olhar daquela que parecia ser a sacerdotisa dos oprimidos.

Quando ela chegou, foi recebida com palmas, bilhetes, pedidos de socorro; algumas pessoas lhe atiraram flores, e uma senhora, de idade indefinida, pediu que continuasse a lutar pela liberdade das mulheres, pelo direito de adoração da Mãe.

Os paroquianos da semana anterior devem ter ficado intimidados com a multidão e não compareceram, apesar das ameaças que fizeram espalhar nos dias anteriores. Nenhuma agressão foi ouvida, e a cerimônia transcorreu como sempre – dança, Hagia Sofia se manifestando (a esta altura eu já sabia que era apenas um lado da própria Athena), celebração no final (que havia sido acrescentada recentemente, quando o grupo se mudou para o armazém cedido por um dos primeiros freqüentadores), e ponto final.

Notei que durante o sermão Athena parecia possuída:

– Todos nós temos um dever com o amor: permitir que ele se manifeste da maneira que julgar melhor. Não podemos e não devemos nos assustar quando as forças das trevas, aquelas que instituíram a palavra "pecado" apenas para controlar nossos corações e mentes, querem se fazer ouvir. O que é pecado? Jesus Cristo, que todos nós conhecemos, virou-se para a mulher adúltera, e disse: "Ninguém te condenou? Pois eu também não te condeno". Curou aos sábados, permitiu que uma prostituta lavasse seus pés, convidou um criminoso que estava sendo crucificado com ele para gozar as delícias do Paraíso, comeu alimentos proibidos, disse que nos preocupássemos apenas com o dia de hoje, porque os lírios do campo não tecem nem fiam, mas se vestem com glória.

"O que é pecado? Pecado é impedir que o Amor se manifeste. E a Mãe é amor. Estamos em um novo mundo, podemos escolher seguir nossos próprios passos, não o que a sociedade nos obrigou a fazer. Se for necessário, enfrentaremos de novo as forças das trevas como fizemos na semana passada. Mas ninguém irá calar nossa voz ou nosso coração."

Eu estava vendo a transformação de uma mulher em um ícone. Ela falava tudo aquilo com convicção, com dignidade, com fé no que dizia. Torci para que as coisas fossem realmente assim, que estivéssemos realmente diante de um novo mundo, do qual eu seria testemunha.

Sua saída do armazém foi tão consagradora quanto sua

entrada, e, ao me ver na multidão, chamou-me para seu lado, comentando que havia sentido minha falta na semana
passada. Estava alegre, segura de si, convencida da corre-
ção de seus atos.

Este era o lado positivo do artigo de jornal, e oxalá as coisas terminassem por aí. Queria estar errado em minha aná-
lise, mas, três dias depois, a minha previsão se confirmou:
o lado negativo surgiu com toda a sua força.

Utilizando um dos mais conceituados e conservadores es-
critórios de advocacia do Reino, cujos diretores – esses sim,
e não Athena – tinham contato com todas as esferas do governo, e usando as declarações que haviam sido publicadas,
o Reverendo Buck convocou uma entrevista coletiva para
dizer que naquele momento estava entrando na Justiça com
um processo de difamação, calúnia, e danos morais.

O secretário de redação me chamou: sabia que eu tinha
amizade com o personagem central de todo aquele escândalo, e sugeriu que fizéssemos uma entrevista exclusiva.
Minha primeira reação foi de revolta: como iria usar esta
relação de amizade para vender jornais?

Mas, depois que conversamos um pouco, comecei a achar
que talvez fosse uma boa idéia: ela teria a oportunidade de
apresentar sua versão da história. Indo mais longe, poderia usar a entrevista para promover tudo aquilo pelo qual
agora estava lutando abertamente. Saí do encontro com o
secretário de redação com o plano que elaboramos juntos:
uma série de reportagens sobre as novas tendências sociais,
e as transformações que a busca religiosa estava atravessan-
do. Em uma destas reportagens, eu publicaria as palavras
de Athena.

Na mesma tarde do encontro com o secretário de redação, fui até sua casa – aproveitando-me do fato de que o convite partira dela, na saída do armazém. Soube por vizinhos

que oficiais de justiça tinham aparecido no dia anterior para entregar-lhe uma intimação, mas tampouco conseguiram. Telefonei mais tarde, sem sucesso. Tentei outra vez no início da noite, e ninguém respondia ao telefone. A partir daí comecei a ligar a cada meia hora, e a ansiedade crescia proporcionalmente aos telefonemas. Desde que Hagia Sofia me curara da insônia, o cansaço me empurrava para a cama às 11 horas da noite, mas desta vez a angústia me manteve acordado.

Achei o número de sua mãe no catálogo telefônico. Mas já era tarde, se ela não estivesse ali, a família inteira iria ficar preocupada; o que fazer? Liguei a televisão para ver se algo havia acontecido – nada de especial, Londres continuava a mesma, com suas maravilhas e seus perigos.

Resolvi fazer uma última tentativa: depois de tocar três vezes, alguém atendeu. Imediatamente reconheci a voz de Andrea do outro lado da linha.

– O que você quer? – ela perguntou.

– Athena pediu que eu a procurasse. Está tudo bem?

– Evidente que está tudo bem, e está tudo mal, dependendo de como se quiser ver a coisa. Mas acho que você pode ajudar.

– Onde ela está?

Desligou sem dar maiores detalhes.

Deidre O'Neill, conhecida como Edda

Athena hospedou-se em um hotel próximo à minha casa. As notícias de Londres referentes a eventos locais, principalmente aos pequenos conflitos nos bairros da periferia, jamais chegam à Escócia. Não nos interessa muito como os ingleses gestionam seus pequenos problemas; temos nossa bandeira, nossa equipe de futebol, e em breve teremos nosso parlamento. É patético que nesta época ainda utilizemos o mesmo código telefônico da Inglaterra, seus selos de correio, e tenhamos ainda que amargar a derrota de nossa rainha Mary Stuart na batalha pelo trono.

Ela terminou decapitada nas mãos dos ingleses, sob o pretexto de problemas religiosos, é claro. O que minha discípula estava enfrentando não era nenhuma novidade.

Deixei que Athena descansasse por um dia inteiro. Na manhã seguinte, em vez de entrar no pequeno templo e trabalhar usando os rituais que conheço, resolvi levá-la para passear com seu filho em um bosque perto de Edimburgo. Ali, enquanto a criança brincava e corria solta entre as árvores, ela me contou em detalhes tudo que estava acontecendo.

Quando terminou, comecei a falar:

– É de dia, o céu está nublado, e além das nuvens os seres humanos acreditam que vive um Deus todo-poderoso, guiando o destino dos homens. Entretanto, veja seu filho, olhe seus pés, escute os sons à sua volta: aqui embaixo está a Mãe, muito mais próxima, trazendo alegria às crianças, e energia aos que caminham sobre Seu corpo. Por que as pessoas preferem acreditar em algo distante e esquecer o que está visível, a verdadeira manifestação do milagre?

– Eu sei a resposta: porque lá em cima alguém guia e dá as ordens, escondido atrás das nuvens, inquestionável em sua sabedoria. Aqui embaixo nós temos um contato físico com a realidade mágica, liberdade de escolher onde nossos passos vão nos levar.

– Belas e exatas palavras. Você acha que o ser humano deseja isso? Deseja esta liberdade de escolher os próprios passos?

– Penso que sim. Esta terra onde piso me traçou caminhos muito estranhos, de um vilarejo no interior da Transilvânia a uma cidade no Oriente Médio, dali a outra cidade em uma ilha, depois ao deserto, à Transilvânia de novo, etc. De um banco de subúrbio a uma companhia de venda de imóveis no Golfo Pérsico. De um grupo de dança a um beduíno. E, sempre que meus pés me empurravam para a frente, eu dizia "sim" ao invés de dizer "não".

– O que você ganhou com isso?

– Hoje posso ver as auras das pessoas. Posso despertar a Mãe em minha alma. Minha vida agora tem um sentido, sei pelo que estou lutando. Mas por que pergunta? Você também ganhou o poder mais importante de todos: o dom da cura. Andrea consegue profetizar e conversar com espíritos; tenho acompanhado passo a passo seu desenvolvimento espiritual.

– O que mais ganhou?

– Alegria de estar viva. Sei que estou aqui, tudo é um milagre, uma revelação.

A criança caiu e machucou o joelho. Instintivamente, Athena correu até ela, limpou a ferida, disse que não era nada, e o menino logo voltou a divertir-se na floresta. Usei aquilo como um sinal.

– O que acaba de acontecer com seu filho aconteceu comigo. E está acontecendo com você, não é verdade?

– Sim. Mas não acho que tropecei e caí; acho que estou passando mais uma vez por um teste, que me ensinará o próximo passo.

Nestes momentos, o mestre não deve dizer nada – apenas abençoar seu discípulo. Porque, por mais que deseje poupá-lo de sofrimentos, os caminhos estão traçados e os pés desejosos de segui-los. Sugeri que voltássemos de noite ao bosque, apenas as duas. Ela perguntou onde poderia deixar o filho; eu me encarregaria disso – tinha uma vizinha que me devia favores, e teria o maior prazer em cuidar de Viorel.

No final do entardecer retornamos ao mesmo lugar, e no caminho discutíamos coisas que nada tinham a ver com o ritual que estava prestes a ser realizado. Athena tinha me visto fazer depilação com um novo tipo de cera, e estava interessadíssima em saber quais as vantagens sobre os antigos processos. Conversamos animadas sobre vaidade, moda, lugares mais baratos para comprar, comportamento feminino, feminismo, estilos de cabelo. Em determinado momento ela disse algo como "a alma não tem idade, não sei por que nos preocupamos com isso", mas logo deu-se conta que não havia grandes problemas em deixar-se simplesmente relaxar e falar de coisas absolutamente superficiais.

Muito pelo contrário: era divertidíssimo este tipo de conversa, e cuidar da estética não deixava de ser algo importantíssimo na vida de uma mulher (os homens fazem o mesmo, mas de maneira diferente, e não assumem tanto como nós).

À medida que me aproximava do local que havia escolhido – ou melhor, que a floresta estava escolhendo para mim –, comecei a sentir a presença da Mãe. No meu caso,

esta presença se manifesta através de uma certa e misteriosa alegria interior, que sempre me emociona, e quase me
leva às lágrimas. Era o momento de parar e mudar de assunto.

– Pegue alguns gravetos – pedi.

– Mas já está escuro.

– A lua cheia ilumina o suficiente, mesmo estando atrás
das nuvens. Eduque seus olhos: eles foram feitos para enxergar além do que pensa.

Ela começou a fazer o que lhe pedi, volta e meia blasfemando porque havia tocado em um espinho. Quase meia
hora se passou, e neste tempo não conversamos; eu sentia
a emoção da presença da Mãe, a euforia de estar ali com
aquela mulher que ainda parecia uma menina, que confia-
va em mim, que me fazia companhia nesta busca às vezes
louca demais para a mente humana.

Athena ainda estava no estágio de responder perguntas,
como havia respondido as minhas naquela tarde. Eu já tinha sido assim um dia, até deixar-me transportar por completo ao reino do mistério, apenas contemplar, celebrar,
adorar, agradecer, e permitir que o dom se manifeste.

Olhava Athena catando os gravetos, e via a menina que
um dia fui, também em busca de segredos velados, de poderes ocultos. A vida havia me ensinado algo completamente diferente: os poderes não eram ocultos, e os segredos já tinham sido revelados há muito tempo. Quando vi
que a quantidade de gravetos era suficiente, pedi com um
sinal que parasse.

Procurei, eu mesma, galhos maiores, e os coloquei por
cima dos gravetos; era assim a vida. Para que pegassem fogo, os gravetos deviam antes ser consumidos. Para que pudéssemos liberar a energia do forte, é preciso que o fraco
tenha possibilidade de se manifestar.

Para que possamos entender os poderes que carregamos conosco, e os segredos que já foram revelados, antes era necessário deixar que a superfície – as expectativas, os medos, as aparências – fosse consumida. Então, entrávamos nesta paz que agora encontrava na floresta, com o vento soprando sem muita violência, a luz da lua por detrás das nuvens, os ruídos de animais que saíam à noite para caçar cumprindo o ciclo de nascimento e morte da Mãe, sem que jamais fossem criticados por seguir seus instintos e sua natureza.

Acendi a fogueira.

Nenhuma de nós duas sentiu vontade de dizer nada – ficamos apenas contemplando a dança do fogo por um tempo que pareceu uma eternidade, e sabendo que, naquele momento, centenas de milhares de pessoas deviam estar diante de suas lareiras, em diversos lugares do mundo, independente do fato de terem em suas casas os mais modernos sistemas de aquecimento; faziam isso porque estavam diante de um símbolo.

Foi preciso um grande esforço para sair daquele transe, que, embora não me dissesse nada de específico, não me fizesse ver deuses, auras, ou fantasmas, me deixava no estado de graça que eu precisava tanto. Voltei a concentrar-me no presente, na moça ao meu lado, no ritual que precisava realizar.

– Como está sua discípula? – perguntei.

– Difícil. Mas, se não fosse assim, talvez eu não aprendesse o que preciso.

– E que poder ela desenvolve?

– Ela conversa com as entidades do mundo paralelo.

– Como você conversa com Hagia Sofia?

– Não. Você sabe que Hagia Sofia é a Mãe se manifestando em mim. Ela conversa com os seres invisíveis.

Eu já havia entendido, mas queria ter certeza. Athena estava mais calada do que o normal. Não sei se havia conversado com Andrea a respeito dos acontecimentos de Londres, mas isso não vinha ao caso. Levantei-me, abri a bolsa que carregava comigo, tirei um punhado de ervas especialmente escolhidas, e joguei nas labaredas.

– A madeira começou a falar – disse Athena, como se estivesse diante de algo absolutamente normal, e isso era bom, os milagres estavam agora fazendo parte de sua vida.

– O que ela está dizendo?

– No momento nada, são apenas ruídos.

Minutos depois ela ouvia uma canção vinda da fogueira.

– É tão maravilhoso!

Ali estava a menina, não mais a mulher ou a mãe.

– Fique como está. Não procure se concentrar, ou seguir meus passos, ou entender o que estou dizendo. Relaxe, sinta-se bem. Isso é tudo que às vezes podemos esperar da vida.

Ajoelhei-me, peguei um graveto em brasa, fiz um círculo à sua volta, deixando uma pequena abertura para que pudesse entrar. Eu também estava ouvindo a mesma música que Athena, e dancei ao seu redor – invocando a união do fogo masculino com a terra que agora o recebia de braços e pernas abertas, que tudo purificava, que transformava em energia a força contida dentro daqueles gravetos, troncos, seres humanos, entidades invisíveis. Dancei enquanto durou a melodia do fogo, e fiz os gestos de proteção à criatura que estava dentro do círculo, sorrindo.

Quando as chamas se extinguiram, peguei um pouco de cinza e aspergi na cabeça de Athena; em seguida, apaguei com os pés o círculo que fizera à sua volta.

– Muito obrigada – disse ela. – Senti-me querida, amada, protegida.

– Não esqueça disso nos momentos difíceis.

– Agora que encontrei meu caminho, não existirão momentos difíceis. Creio que tenho uma missão a cumprir, não é isso?

— Sim, todos nós temos uma missão a cumprir.

Ela começou a ficar insegura.

— Você não me respondeu sobre os momentos difíceis.

— Não é uma pergunta inteligente. Lembre-se do que disse pouco antes: é amada, querida, protegida.

— Farei o possível.

Seus olhos se encheram de lágrimas. Athena havia entendido minha resposta.

Samira R. Khalil, dona de casa

– Meu neto! O que o meu neto tem a ver com isso? Em que mundo vivemos, meu Deus? Ainda estamos na Idade Média, procurando bruxas?

Corri até ele. O menino estava com o nariz sujo de sangue, mas não parecia importar-se com meu desespero, e logo me empurrou:

– Eu sei me defender. E me defendi.

Embora jamais tenha gerado um filho em meu ventre, conheço o coração das crianças; estava muito mais preocupada por Athena que por Viorel – isso era uma das muitas brigas que ele iria enfrentar na sua vida, e seus olhos inchados não deixavam de mostrar um certo orgulho.

– Um grupo de meninos na escola disse que mamãe era uma adoradora do diabo!

Sherine chegou logo em seguida – a tempo de ver o garoto ainda com sangue, e fazer um verdadeiro escândalo. Queria sair, voltar à escola para falar com o diretor, mas eu a abracei. Deixei que derramasse todas as suas lágrimas, expressasse toda a sua frustração – neste momento tudo que eu podia fazer era ficar calada, tentando passar meu amor em silêncio.

Quando se acalmou um pouco, expliquei com todo cuidado que podia voltar a morar conosco, nos ocuparíamos de tudo – seu pai havia conversado com alguns advogados quando lera no jornal sobre o processo que estavam movendo contra ela. Faríamos o possível e o impossível para livrá-la desta situação, agüentaríamos os comentários dos vizinhos, os olhares de ironia dos conhecidos, a falsa solidariedade dos amigos.

Nada havia de mais importante no mundo que a felicidade de minha filha, embora eu nunca pudesse compreender por que sempre escolhia caminhos tão difíceis e tão sofridos. Mas uma mãe não tem que compreender nada – apenas amar e proteger.

E orgulhar-se. Sabendo que podíamos lhe dar quase tudo, fora cedo em busca de sua independência. Teve seus tropeços, suas derrotas, fez questão de enfrentar sozinha as turbulências. Procurou a mãe consciente dos riscos que corria, e isso só terminou por aproximá-la mais de nossa família. Eu me dava conta que todos os meus conselhos jamais tinham sido aceitos – conseguir um diploma, casar-se, aceitar as dificuldades de uma vida em comum sem reclamar, não procurar ir além do que a sociedade permitia.

E qual o resultado?

Acompanhando a história de minha filha, me transformei em uma pessoa melhor. Evidente que não compreendia nada de Deusa Mãe, esta mania de estar sempre reunindo pessoas estranhas ao seu lado, e jamais conformar-se com o que havia conseguido depois de muito trabalho.

Mas, no fundo, gostaria muito de ter sido como ela, embora já fosse um pouco tarde para pensar assim.

Ia levantar-me e preparar algo para comerem, mas ela me impediu.

– Quero ficar um pouco aqui, no seu colo. Isso é tudo que preciso. Viorel, vá para o quarto ver televisão que gostaria de conversar com sua avó.

O menino obedeceu.

– Eu devo ter lhe causado muito sofrimento.

– Nenhum. Muito pelo contrário, você e seu filho são a fonte de nossas alegrias, e o motivo pelo qual estamos vivos.

– Mas eu não fiz exatamente...

– ... que bom que tenha sido assim. Hoje eu posso confessar: houve momentos em que a odiei, que me arrependi amargamente de não ter seguido o conselho da enfermeira e adotado outra criança. E me perguntava: "Como é que uma mãe pode odiar sua filha?". Tomava calmantes, ia jogar *bridge* com as amigas, comprava compulsivamente, tudo para compensar o amor que eu havia lhe dado e julgava não estar recebendo de volta.

"Faz alguns meses, quando você decidiu largar mais uma vez um emprego que estava lhe dando dinheiro e prestígio, eu fiquei desesperada. Fui até a igreja próxima de casa: queria fazer uma promessa, pedir à Virgem para você tomar consciência da realidade, mudar de vida, aproveitar as chances que estava desperdiçando. Estava disposta a fazer qualquer coisa em troca disso.

"Fiquei olhando a Virgem com o menino no seu colo. E disse: 'Você que é mãe, sabe o que estou passando. Pode me pedir qualquer coisa, mas salve minha filha, porque acho que está caminhando para destruir a si mesma'."

Senti que os braços de Sherine me apertavam. Ela começou a chorar de novo, mas era um pranto diferente. Eu fazia o possível para controlar minha emoção.

– E sabe o que senti neste momento? Que ela conversava comigo. E dizia: "Escute, Samira, eu também pensava assim. Sofri muitos anos porque meu filho não escutava nada do que eu dizia. Preocupava-me com sua segurança, achava que não sabia escolher seus amigos, não tinha o menor respeito pelas leis, pelos costumes, pela religião, ou pelos mais velhos". Preciso contar o resto?

– Não precisa, eu entendo. Mas gostaria de ouvir de qualquer maneira.

– A Virgem terminou dizendo: "Mas meu filho não me ouviu. E hoje estou muito contente por causa disso".

Com todo carinho, retirei sua cabeça do meu ombro e levantei-me.

– Vocês precisam comer.

Fui até a cozinha, preparei uma sopa de cebola, um prato de tabule, esquentei o pão sem fermento, coloquei a mesa, e almoçamos juntos. Conversamos sobre coisas sem importância, que nestes momentos nos unem e justificam o amor de estarmos ali, tranqüilos, mesmo que a tempestade esteja arrancando árvores e semeando destruição lá fora. Claro, no final da tarde a minha filha e meu neto sairiam por aquela porta, para enfrentarem de novo os ventos, os trovões, os raios – mas isso era uma escolha sua.

– Mamãe, você disse que faria qualquer coisa por mim, não é verdade?

Claro que era verdade. Inclusive dar minha vida, se fosse necessário.

– Não acha que eu também deveria fazer qualquer coisa por Viorel?

– Penso que esse é o instinto. Mas, além do instinto, essa é a maior manifestação do amor que temos.

Ela continuou comendo.

– Você sabe que entraram com um processo na Justiça, e que seu pai está pronto para ajudá-la, se assim desejar.

– Claro que desejo. É minha família.

Pensei duas vezes, três vezes, mas não me contive:

– Posso lhe dar um conselho? Sei que você tem amigos importantes. Falo daquele jornalista. Por que não pede a ele que publique sua história, que conte sua versão dos fatos? A imprensa está dando muito espaço a este reverendo, e as pessoas terminam por lhe dar razão.

– Então, além de aceitar o que faço, você está querendo me ajudar?

– Sim, Sherine. Mesmo que não a entenda, mesmo que

às vezes sofra como a Virgem deve ter sofrido sua vida inteira, mesmo que você não seja Jesus Cristo e tenha uma
grande mensagem para passar ao mundo, eu estou do seu
lado, e quero vê-la vitoriosa.

Heron Ryan, jornalista

Athena entrou quando eu estava procurando anotar freneticamente o que imaginava ser a entrevista ideal sobre os acontecimentos de Portobello e o renascer da Deusa. Era um assunto delicado, delicadíssimo.

O que eu via no armazém era uma mulher dizendo: "Vocês são capazes, façam o que a Grande Mãe ensina – confiem no amor e os milagres serão realizados". E a multidão concordava, mas isso não podia durar muito, porque estávamos em uma época onde a escravidão era a única maneira de encontrar a felicidade. O livre-arbítrio exige uma responsabilidade imensa, dá trabalho, e traz angústia e sofrimento.

– Preciso que escreva algo sobre mim – pediu.

Respondi que devíamos esperar um pouco, o assunto podia morrer na semana seguinte, mas que havia preparado algumas perguntas sobre a Energia Feminina.

– No momento, as brigas e os escândalos interessam apenas ao bairro e aos tablóides: nenhum jornal respeitável publicou qualquer linha. Londres está cheia deste tipo de conflitos, e chamar a atenção da grande imprensa não é aconselhável. Melhor seria ficar duas ou três semanas sem reunir seu grupo.

"Entretanto, acho que o assunto da Deusa – tratado com a seriedade que merece – pode fazer muita gente levantar uma série de perguntas importantes."

– Durante um jantar, você disse que me amava. E agora, além de dizer que não quer me ajudar, está me pedindo para que renuncie às coisas em que acredito?

Como interpretar aquelas palavras? Será que finalmente

aceitava o que lhe oferecera aquela noite, o que me acompanhava a cada minuto de vida? O poeta libanês havia dito que era mais importante dar que receber; embora fossem palavras sábias, eu fazia parte daquilo que chamam de "humanidade", com minhas fraquezas, meus momentos de indecisão, meu desejo de simplesmente dividir a paz, escravizar-me aos meus sentimentos, entregar-me sem perguntar nada, sem mesmo querer saber se este amor era correspondido. Bastava permitir que a amasse, isso era tudo; tenho certeza que Hagia Sofia iria concordar inteiramente comigo. Athena estava passando por minha vida já há quase dois anos, e eu tinha medo que continuasse seu caminho, desaparecesse no horizonte, sem que eu tivesse sido capaz de pelo menos acompanhá-la em uma parte de sua jornada.

– Você está falando de amor?

– Estou pedindo sua ajuda.

O que fazer? Controlar-me, manter o sangue-frio, não precipitar as coisas e terminar por destruí-las? Ou dar o passo que estava faltando, abraçá-la e protegê-la de todos os perigos?

– Eu quero ajudar – respondi, embora minha cabeça estivesse insistindo para dizer "não se preocupe com nada, eu penso que te amo". – Peço que confie em mim; faria tudo, absolutamente tudo, por você. Inclusive dizer "não", quando acho que é o caso, mesmo correndo o risco de que você não compreenda.

Contei que o secretário de redação do jornal havia proposto uma série de matérias sobre o despertar da Deusa, que incluía uma entrevista com ela. No início me parecera uma excelente idéia, mas agora entendia que era melhor esperar um pouco.

– Ou você deseja levar sua missão adiante, ou você deseja se defender. Sei que está consciente de que o que faz é

mais importante do que a maneira como é vista pelos outros. Está de acordo?

– Estou pensando em meu filho. Todos os dias agora tem
problemas na escola.

– Vai passar. Daqui a uma semana ninguém vai mais falar nisso. Então será o momento de agirmos; não para de-
fender-se de ataques idiotas, mas para colocar, com segurança e sabedoria, a dimensão do seu trabalho.

"E se tem dúvidas de meus sentimentos, está decidida a
continuar, vou com você na próxima reunião. Veremos o
que acontece."

E na segunda-feira seguinte eu a acompanhei, já não era
apenas uma pessoa na multidão, podia ver as cenas da mesma maneira que ela estava vendo.

Pessoas que se aglomeravam no local, flores e palmas, mo-
ças que gritavam "sacerdotisa da Deusa", duas ou três se-
nhoras bem vestidas que imploravam por uma audiência se-
parada, por causa de doença na família. A multidão começou
a empurrar-nos, barrando a entrada – jamais havíamos
pensado que seria necessário um esquema de segurança, e
fiquei assustado. Agarrei-a pelo braço, peguei Viorel no colo, e entramos.

Lá dentro, com a sala já cheia, Andrea nos esperava, ir-
ritadíssima:

– Acho que você deve dizer hoje que não faz milagre nenhum! – gritou para Athena. – Você está se deixando dominar pela vaidade! Por que Hagia Sofia não fala com toda esta gente para ir embora?

– Porque ela indica as doenças – respondeu Athena em
tom desafiador. – E quanto mais pessoas se beneficiarem,
melhor.

Ia continuar a conversa, mas a multidão aplaudia, e Athena subiu ao palco improvisado. Ligou o pequeno aparelho de som que trazia de casa, deu instruções para que ninguém seguisse o ritmo da música, pediu que dançassem, e o ritual começou. Em determinado momento Viorel foi para um canto e sentou-se – era o momento de Hagia Sofia se manifestar. Athena repetiu o que eu já havia visto tantas vezes: desligou abruptamente o som, colocou a cabeça entre as mãos, as pessoas ficaram em silêncio obedecendo a um comando invisível.

O ritual repetiu-se sem qualquer variação: perguntas sobre amor que eram descartadas, mas aceitava comentar sobre ansiedade, doenças, problemas pessoais. Da posição em que estava, podia ver que algumas pessoas tinham lágrimas nos olhos, outras pareciam estar diante de uma santa. Chegou o momento do sermão final, antes do ritual coletivo de celebração da Mãe.

Como já conhecia os próximos passos, comecei a imaginar qual seria a melhor maneira de sair dali com o mínimo de tumulto possível. Torci para que seguisse a indicação de Andrea, dizendo que não procurassem milagres ali; caminhei em direção a Viorel para que pudéssemos deixar o local assim que sua mãe acabasse de falar.

E foi quando escutei a voz de Hagia Sofia:

– Hoje, antes de terminar, vamos falar de dieta. Esqueçam esta história de regimes.

Dieta? Esqueçam esta história de regimes?

– Sobrevivemos todos estes milênios porque fomos capazes de comer. E hoje em dia isso parece ter se tornado uma maldição. Por quê? O que nos faz procurar manter, aos 40 anos, o mesmo corpo que tínhamos quando éramos jovens? Será possível parar esta dimensão do tempo? Claro que não. E por que precisamos ser magros?

Ouvi uma espécie de murmúrio na platéia. Deviam estar esperando uma mensagem mais espiritual.

– Não precisamos. Compramos livros, freqüentamos academias, gastamos uma parte importantíssima de nossa concentração tentando parar o tempo, quando devíamos celebrar o milagre de andar por este mundo. Em vez de pensar em como viver melhor, ficamos obcecados com o peso.

"Esqueçam isso; vocês podem ler todos os livros que quiserem, fazer os exercícios que desejarem, sofrerem todas as punições que decidirem, e terão apenas duas escolhas – ou deixam de viver, ou irão engordar.

"Comam com moderação, mas comam com prazer: o mal não é o que entra, mas o que sai da boca do homem. Lembrem-se que durante milênios lutamos para não passar fome. Quem inventou esta história de que todos precisam ser magros a vida inteira?

"Vou responder: os vampiros da alma, aqueles que têm tanto medo do futuro que pensam ser possível parar a roda do tempo. Hagia Sofia garante: não é possível. Usem a energia e o esforço de uma dieta para alimentarem-se do pão espiritual. Entendam que a Grande Mãe dá com fartura e com sabedoria – respeitem isso, e não irão engordar além daquilo que o tempo exige.

"Em vez de queimarem artificialmente estas calorias, procurem transformá-las na energia necessária para a luta pelos sonhos; ninguém ficou mais magro por muito tempo, só por causa de uma dieta."

O silêncio era completo. Athena deu início ao ritual de encerramento, todos celebraram a presença da Mãe, eu agarrei Viorel nos braços prometendo a mim mesmo que da próxima vez iria trazer alguns amigos para improvisar um mínimo de segurança, saímos escutando os mesmos gritos e aplausos da entrada.

Um comerciante me agarrou pelos braços:

– Isso é um absurdo! Se quebrarem alguma de minhas vitrinas, vou processá-los!

Athena ria, dava autógrafos, Viorel parecia contente. Eu torcia para que nenhum jornalista estivesse ali naquela noite. Quando finalmente conseguimos nos desvencilhar da multidão, tomamos um táxi.

Perguntei se gostariam de comer alguma coisa. Claro que sim, tinha acabado de comentar sobre isso, disse Athena.

Antoine Locadour, historiador

Nesta sucessão de erros que ficou conhecido como "A bruxa de Portobello", o que mais me surpreende é a ingenuidade de Heron Ryan, um jornalista com anos de carreira e experiência internacional. Quando conversamos, ele estava apavorado com as manchetes dos tablóides:

"O Regime da Deusa!", gritava um.

"Emagreça enquanto come, diz a Bruxa de Portobello!", estampava outro na primeira página.

Além de tocar em algo tão sensível como a religião, a tal Athena tinha ido mais longe: falara de dieta, um assunto de interesse nacional, mais importante que guerras, greves, ou catástrofes naturais. Nem todos acreditam em Deus, mas todos querem emagrecer.

Os repórteres entrevistavam comerciantes locais, que garantiam ter visto velas negras e vermelhas acesas, e rituais com a presença de poucas pessoas nos dias que antecediam as reuniões coletivas. Por enquanto, o tema se resumia a sensacionalismo barato, mas Ryan devia ter previsto que havia um processo em curso na Justiça britânica, e que o acusador não iria perder qualquer oportunidade para fazer chegar até os juízes o que considerava ser não apenas uma calúnia, mas um atentado a todos os valores que mantinham de pé a sociedade.

Na mesma semana, um dos mais prestigiosos jornais ingleses publicava em sua coluna de editoriais, um texto do Reverendo Ian Buck, Ministro da Congregação Evangélica de Kensington, que dizia em um de seus parágrafos:

"Como bom cristão, eu tenho o dever de dar minha outra face quando sou injustamente agredido ou quando mi-

PAULO COELHO

nha honra é atingida. Entretanto, não podemos nos esquecer que, da mesma maneira que Jesus ofereceu sua outra face, também usou o chicote para açoitar aqueles que pretendiam transformar a Casa de Deus em um covil de ladrões. É a isso que estamos assistindo em Portobello Road neste momento: pessoas inescrupulosas, que se fazem passar por salvadoras de almas, prometendo falsas esperanças e curas para todos os males, afirmando inclusive que permanecerão magras e elegantes se seguirem seus ensinamentos.

"Portanto, não me resta outra alternativa além de ir à Justiça impedir que tal situação se prolongue por muito tempo. Os seguidores deste movimento juram que são capazes de despertar dons jamais vistos, e negam a existência de um Deus Todo-Poderoso, tentando substituí-Lo por divindades pagãs como Vênus ou Afrodite. Para eles, tudo é permitido, desde que seja feito com 'amor'. Ora, o que é o amor? Uma força sem moral, que justifica qualquer fim? Ou um compromisso com os verdadeiros valores da sociedade, como a família e as tradições?"

Na reunião seguinte, prevendo que pudesse se repetir a mesma batalha campal de agosto, a polícia tomou providências e deslocou meia dúzia de guardas para evitar confrontos. Athena chegou acompanhada de guarda-costas improvisados por Ryan, e desta vez escutou não apenas aplausos, mas vaias e imprecações. Uma senhora, ao ver que estava acompanhada de um menino de oito anos, entrou dois dias depois com uma petição jurídica baseada no Children Act 1989, alegando que a mãe estava causando danos irreversíveis ao filho, e sua guarda deveria ser transferida ao pai.

Um tablóide conseguiu localizar Lukás Jessen-Petersen,

que não quis dar entrevista; ameaçou o repórter, dizendo que não mencionassem Viorel em seus artigos, ou seria capaz de qualquer loucura.

No dia seguinte, o tablóide estampava a manchete: "Ex-marido da Bruxa de Portobello diz que é capaz de matar pelo filho".

Naquela mesma tarde, mais duas petições baseadas no Children Act 1989 davam entrada nos tribunais, desta vez pedindo que o Estado se responsabilizasse pelo bem-estar da criança.

Não houve uma reunião seguinte; embora grupos de pessoas – a favor e contra – estivessem diante da porta, e guardas fardados procurassem conter os ânimos, Athena não apareceu. O mesmo aconteceu na semana seguinte; desta vez, tanto os grupos como o destacamento policial eram menores.

Na terceira semana, havia apenas vestígios de flores no local, e uma pessoa distribuindo fotos de Athena para quem chegasse.

O assunto deixou de ocupar as páginas dos cotidianos londrinos. Quando o Reverendo Ian Buck decidiu anunciar que estava retirando seu processo de calúnia e difamação, baseado no "espírito cristão que devemos ter por aqueles que se arrependem de seus gestos", não encontrou nenhum grande veículo de imprensa interessado, e tudo que conseguiu foi publicar seu texto na seção de cartas de leitores de um jornal de bairro.

Pelo que eu saiba, o tema jamais ganhou projeção nacional, sempre estando restrito às páginas onde se publicam os assuntos da cidade. Um mês depois que os cultos terminaram, quando viajei até Brighton, tentei puxar o assunto com alguns amigos, e nenhum deles tinha ouvido falar.

Ryan tinha tudo nas mãos para esclarecer aquele assunto; o que seu jornal dissesse seria seguido por grande parte da imprensa. Mas, para minha surpresa, jamais publicou uma linha a respeito de Sherine Khalil.

Na minha opinião, o crime — pelas suas características — nada tem a ver com o que ocorreu em Portobello. Tudo não passou de uma macabra coincidência.

Heron Ryan, jornalista

Athena pediu que ligasse meu gravador. Ela trazia outro com ela, um modelo que nunca tinha visto, bastante sofisticado e de dimensões mínimas.

– Em primeiro lugar, quero dizer que estou sendo ameaçada de morte. Em segundo lugar, prometa que, mesmo que eu morra, você esperará cinco anos para deixar que alguém escute esta fita. No futuro, poderão distinguir o que é falso do que é verdadeiro.

"Diga que concorda – pois desta maneira estará assumindo um compromisso legal."

– Concordo. Mas acho que...

– Não ache nada. Caso eu apareça morta, isso será meu testamento, com a condição de nada ser dito agora.

Desliguei o gravador.

– Não há o que temer. Tenho amigos em todas as posições e cargos do governo, gente que me deve favores, que precisa ou precisará de mim. Nós podemos...

– Eu já não lhe disse que tinha um namorado que trabalha na Scotland Yard?

De novo esta conversa? Se era assim, por que não estava lá quando todos nós precisávamos de sua ajuda, quando tanto Athena como Viorel podiam ter sido atacados pela multidão?

As perguntas surgiam uma atrás da outra: ela queria me testar? O que passava na cabeça desta mulher – seria desequilibrada, inconstante, uma hora desejando estar ao meu lado, outra hora voltando com o tema de um homem que não existia?

– Ligue o gravador de novo – ela pediu.

Eu me sentia péssimo: comecei a pensar que sempre havia sido usado por ela. Gostaria de poder dizer naquele momento: "Vá embora, não apareça nunca mais na minha vida, desde que a conheci tudo se transformou em um inferno, vivo esperando o dia em que chega aqui, me dá um abraço, me beija, e pede para ficar ao meu lado. Isso não acontece nunca".

– Alguma coisa errada?

Ela sabia que tinha alguma coisa errada. Melhor dizendo, era impossível que não reconhecesse o que sentia, porque não tinha feito outra coisa durante todo este tempo além de demonstrar meus sentimentos, embora só tenha falado deles uma única vez. Mas desmarcava qualquer compromisso para encontrá-la, estava ao seu lado sempre que pedia, tentava criar algum tipo de cumplicidade com seu filho, achando que um dia ele poderia chamar-me de pai. Nunca pedi que deixasse o que fazia, aceitava sua vida, suas decisões, sofria em silêncio com sua dor, me alegrava com suas vitórias, orgulhava-me da sua determinação.

– Por que desligou o gravador?

Fiquei aquele segundo entre o céu e o inferno, entre a explosão e a submissão, entre o raciocínio frio e a emoção destruidora. No final, usando todas as forças que tinha, consegui manter o controle.

Apertei o botão.

– Continuemos.

– Estava dizendo que estou sendo ameaçada de morte. Pessoas telefonam, sem dizer nomes; me insultam, afirmam que sou uma ameaça ao mundo, estou querendo trazer de volta o reino de Satanás, e que não podem permitir isso.

– Você falou com a polícia?

Omiti propositadamente a referência ao namorado, mostrando desta maneira que jamais acreditei na história.

– Falei. Eles gravaram os telefonemas. Vêm de cabines telefônicas, mas disseram que não me preocupasse, estão vigiando minha casa. Conseguiram prender uma destas pessoas: tem um desequilíbrio mental, acha que é a reencarnação de um apóstolo, e que "desta vez é preciso lutar para que Cristo não seja expulso de novo". Neste momento, está em um hospital psiquiátrico; a polícia explicou que já foi internado antes, depois de ameaçar outros pelo mesmo motivo.

– Se estão atentos, nossa polícia é a melhor do mundo. Realmente não há por que se preocupar.

– Não tenho medo da morte; se meus dias terminassem hoje, levaria comigo momentos que pouca gente com minha idade teve a chance de viver. O que tenho medo, e por isso pedi que gravasse nossa conversa hoje, é de matar.

– Matar?

– Você sabe que estão na Justiça alguns processos que pretendem tirar Viorel de minha guarda. Tentei com amigos, mas ninguém pode fazer nada; é preciso esperar o resultado. Segundo eles, dependendo do juiz, estes fanáticos irão conseguir o que desejam. Por causa disso, comprei uma arma.

"Sei o que significa um filho ser afastado da sua mãe, porque vivi a experiência em minha carne. De modo que, no momento em que o primeiro oficial de justiça se aproximar, eu atiro. E continuarei atirando, até que as balas acabem. Se não me atingirem antes, lutarei com as facas de minha casa. Se tirarem as facas, usarei minhas unhas e meus dentes. Mas ninguém conseguirá afastar Viorel do meu lado, a não ser que passem por cima do meu cadáver. Está gravando?"

– Está. Mas existem meios...

– Não existem. Meu pai está acompanhando os processos. Disse que, no caso de direito de família, pouco se há que fazer.

"Agora desligue o gravador."

– Era esse seu testamento?

Não respondeu. Como eu não fazia nada, tomou ela própria a iniciativa. Em seguida, foi até o aparelho de som, e colocou a famosa música das estepes, que agora eu quase conhecia de cor. Dançou da maneira que fazia nos rituais, completamente fora de compasso, e eu sabia onde estava pretendendo chegar. Seu gravador continuava ligado, como testemunha silenciosa de tudo que estava se passando ali. Enquanto a luz de uma tarde ensolarada entrava pelas vidraças, Athena mergulhava em busca de outra luz, que estava ali desde que o mundo havia sido criado.

A centelha da Mãe parou de dançar, interrompeu a música, colocou a cabeça entre as mãos, e ficou quieta por algum tempo. Logo levantou os olhos e encarou-me.

– Você sabe quem está aqui, não sabe?

– Sim. Athena e sua parte divina, Hagia Sofia.

– Eu me habituei a fazer isso. Não penso que seja necessário, mas foi o método que descobri para encontrá-la, e agora se tornou uma tradição em minha vida. Você sabe com quem está falando: com Athena. Hagia Sofia sou eu.

– Sei disso. Quando dancei pela segunda vez em sua casa, descobri também um espírito que me guia: Philemon. Mas não converso muito com ele, não escuto o que ele me diz. Sei que, quando está presente, é como se nossas duas almas finalmente se encontrassem.

– Isso mesmo. E Philemon e Hagia Sofia vão hoje conversar sobre amor.

– Eu teria que dançar.

– Não precisa. Philemon me entenderá, pois vejo que foi tocado pela minha dança. O homem que está diante de mim sofre por algo que julga jamais ter conseguido atingir: o meu amor.

"Mas o homem que está além de você mesmo, esse compreende que a dor, a ansiedade, o sentimento de abandono são desnecessários e infantis: eu te amo. Não da maneira que sua parte humana deseja, mas da maneira que a centelha divina assim desejou. Habitamos uma mesma tenda, que foi colocada em nosso caminho por Ela. Ali entendemos que não somos escravos de nossos sentimentos, mas seus mestres.

"Servimos e somos servidos, abrimos as portas de nossos quartos, e nos abraçamos. Talvez nos beijemos também – porque tudo que acontece com intensidade na terra terá seu correspondente no plano invisível. E você sabe que não estou a provocá-lo, nem estou brincando com seus sentimentos ao dizer isso."

– O que é o amor, então?

– A alma, o sangue, e o corpo da Grande Mãe. Eu te amo com a mesma força que almas exiladas se amam, quando se encontram no meio do deserto. Nunca se passará nada de físico entre nós, mas nenhuma paixão é inútil, nenhum amor é jogado fora. Se a Mãe despertou isso em seu coração, também despertou no meu, embora você talvez o aceite melhor. É impossível que a energia do amor se perca – ela é mais poderosa que qualquer coisa, e se manifesta de muitas maneiras.

– Não sou suficientemente forte para isso. Essa visão abstrata me deixa deprimido e mais solitário que nunca.

– Nem eu: preciso de alguém ao meu lado. Mas um dia nossos olhos vão se abrir, as diversas formas de Amor poderão se manifestar, e o sofrimento desaparecerá da face da Terra.

"Penso que não deve demorar muito; muitos de nós es-

tão retornando de uma longa viagem, onde fomos induzi-
dos a procurar coisas que não nos interessavam. Agora nos
damos conta que eram falsas. Mas esta volta não se faz sem
dor – porque passamos muito tempo fora, achamos que somos estrangeiros em nossa própria terra.

"Levaremos algum tempo para encontrar os amigos que
também partiram, os lugares onde estavam nossas raízes e
nossos tesouros. Mas isso terminará acontecendo."

Não sei por que razão, comecei a ficar comovido. E isso
me empurrou adiante.

– Quero continuar falando de amor.

– Estamos falando. Este foi sempre o objetivo de tudo que
busquei em minha vida; deixar que o amor se manifestas-
se em mim sem barreiras, que preenchesse meus espaços em
branco, que me fizesse dançar, sorrir, justificar minha vida,
proteger meu filho, entrar em contato com os céus, com homens e mulheres, com todos aqueles que foram colocados
no meu caminho.

"Tentei controlar meus sentimentos dizendo 'esse merece meu carinho', ou 'esse não merece', coisas deste tipo. Até
que entendi meu destino, quando vi que podia perder a coisa mais importante de minha vida."

– O seu filho.

– Exato. A manifestação mais completa de amor. Foi no
momento em surgiu a possibilidade de o afastarem de mim,
que me encontrei comigo mesma, entendendo que jamais
poderia ter nada, perder nada. Compreendi isso depois de
chorar compulsivamente por horas. Foi só depois de sofrer
muito, intensamente, que a parte de mim que chamo Hagia
Sofia me disse: "Que bobagem é essa? O amor sempre permanece! E seu filho sempre partirá, mais cedo ou mais tarde!".

Eu começava a compreender.

– O amor não é um hábito, um compromisso, ou uma dívida. Não é aquilo que nos ensinam as músicas românticas – o amor é. É esse o testamento de Athena, ou Sherine, ou Hagia Sofia: o amor é. Sem definições. Ame e não pergunte muito. Apenas ame.

– É difícil.

– Está gravando?

– Você pediu que desligasse.

– Pois torne a gravar.

Fiz o que ela mandava. Athena continuou:

– É difícil para mim também. Por isso, a partir de hoje não volto mais para casa. Vou esconder-me; a polícia me protegerá dos loucos, mas não me protegerá da Justiça humana. Eu tinha uma missão a cumprir, e isso me fez ir tão longe que arrisquei até mesmo a guarda de meu filho. Mesmo assim, não me arrependo: cumpri meu destino.

– Qual era sua missão?

– Você sabe, porque participou desde o início: preparar o caminho da Mãe. Continuar uma tradição que foi suprimida por séculos, mas que agora começa a ressurgir.

– Talvez...

Eu parei. Mas ela não disse uma palavra até que eu terminasse minha frase.

– ... talvez tenha sido um pouco cedo demais. As pessoas não estavam prontas para isso.

Athena riu.

– Claro que estavam. Por isso os confrontos, as agressões, o obscurantismo. Porque as forças das trevas estão agonizando, e é neste momento que elas usam seus últimos recursos. Parecem ser mais fortes, como os animais antes de morrer; mas, depois disso, já não conseguem mais se levantar do chão – estarão exaustas.

"Semeei em muitos corações, e cada um manifestará este Renascimento à sua maneira. Mas existe um destes corações que irá seguir a tradição completa: Andrea."

Andrea.

Que a detestava, que a culpava pelo fim de nosso relacionamento, que dizia para quem desejasse ouvir que Athena deixara-se dominar pelo egoísmo, pela vaidade, e terminara destruindo um trabalho que fora tão difícil de ser colocado em pé.

Ela levantou-se e pegou sua bolsa – Hagia Sofia continuava com ela.

– Vejo sua aura. Ela está sendo curada de um sofrimento inútil.

– Evidente que você sabe que Andrea não gosta de você.

– Claro que sei. Falamos quase meia hora sobre amor, não é verdade? Gostar não tem nada a ver com isso.

"Andrea é uma pessoa absolutamente capaz de levar a missão adiante. Tem mais experiência e mais carisma que eu. Aprendeu com meus erros; sabe que deve manter certa prudência, porque os tempos em que a fera do obscurantismo está agonizando serão tempos de confronto. Andrea pode me odiar como pessoa, e talvez por isso tenha conseguido desenvolver seus dons com tanta velocidade; para provar que era mais capaz que eu.

"Quando o ódio faz uma pessoa crescer, ele se transforma em uma das muitas maneiras de amar."

Pegou seu gravador, colocou-o dentro da bolsa, e partiu.

No final daquela mesma semana o tribunal se pronunciava: diversas testemunhas foram ouvidas, e Sherine Khalil, conhecida como Athena, tinha direito de manter a guarda de seu filho.

Além disso, o diretor da escola onde o menino estudava ficava oficialmente alertado de que qualquer tipo de discriminação contra o menino seria punível por lei.

Sabia que não adiantava ligar para a casa onde morava; tinha deixado a chave com Andrea, levado seu aparelho de som, algumas roupas, dizendo que não pretendia retornar tão cedo.

Fiquei aguardando o telefonema para comemorarmos juntos a vitória. A cada dia que passava, o meu amor por Athena deixava de ser uma fonte de sofrimento, e se transformava em um lago de alegria e serenidade. Eu já não me sentia tão sozinho, em algum lugar no espaço nossas almas – as almas de todos os exilados que estavam voltando – tornavam a celebrar com alegria o reencontro.

Passou-se a primeira semana, e imaginei que talvez estivesse procurando recuperar-se da tensão dos últimos tempos. Um mês depois, imaginei que teria voltado a Dubai e retornado ao seu emprego; telefonei e me disseram que não tinham mais ouvido falar dela. Mas se soubesse onde estava, por favor lhe transmitisse um recado: as portas estavam abertas, ela fazia muita falta.

Resolvi fazer uma série de artigos sobre o despertar da Mãe, que provocou algumas cartas ofensivas de leitores me acusando de "divulgar o paganismo", mas que fez um imenso sucesso junto ao público.

Dois meses depois, quando me preparava para almoçar, um colega de redação me chamou: o corpo de Sherine Khalil, a Bruxa de Portobello, havia sido encontrado.

Fora brutalmente assassinada em Hampstead.

Agora que terminei de transcrever todas as gravações, vou entregá-las a ela. Deve estar neste momento passeando pelo Snowdonian National Park, como costuma fazer todas as tardes. É seu aniversário – melhor dizendo, a data que seus pais escolheram para seu aniversário quando a adotaram – e pretendo entregar-lhe este manuscrito.

Viorel, que chegará com os avós para a celebração, também preparou uma surpresa; gravou sua primeira música em um estúdio de amigos comuns, e irá tocá-la durante o jantar.

Ela irá me perguntar, depois: "Por que fez isso?"

E eu lhe responderei: "Porque precisava compreendê-la". Durante todos estes anos que estivemos juntos, escutava apenas aquilo que julgava serem lendas a seu respeito, e agora sei que estas lendas são realidade.

Sempre que pensava em acompanhá-la, fosse às celebrações das segundas-feiras em seu apartamento, fosse à Romênia, fosse aos encontros com amigos, ela pedia que não o fizesse. Queria estar livre – um policial sempre intimida as pessoas, dizia. Diante de alguém como eu, até mesmo os inocentes se sentem culpados.

Estive duas vezes no armazém de Portobello sem que ela soubesse. Também sem que ela soubesse, destaquei homens para protegê-la em suas chegadas e saídas do local – e pelo menos uma pessoa, mais tarde identificada como militante de uma seita, foi detida com um punhal. Dizia que tinha sido instruído por espíritos para conseguir um pouco de sangue da Bruxa de Portobello, que manifestava a Mãe, precisavam usá-lo para consagrar certas oferendas. Não pretendia matá-la, apenas recolher o sangue em um lenço. A investigação mostrou que não havia realmente tentativa de homicídio; mesmo assim foi indiciado, e pegou seis meses de prisão.

Não foi minha a idéia de "assassiná-la" para o mundo – Athena queria desaparecer, e me perguntou se isso seria possível. Expliquei que, se a Justiça tivesse decidido que o Estado deveria manter a guarda de seu filho, eu não poderia contrariar a lei. Mas a partir do momento em que o juiz manifestou-se a seu favor, estávamos livres para cumprir o seu plano.

Athena tinha plena consciência que, quando os encontros no armazém ganharam publicidade local, a sua missão estava desencaminhada para sempre. De nada adiantava ir diante da multidão e negar que não era uma rainha, uma bruxa, uma manifestação divina – já que o povo escolheu seguir os poderosos e dar poder a quem deseja. E isso iria contra tudo que ela pregava – a liberdade de escolher, de consagrar o próprio pão, de despertar os dons individuais, sem guias ou pastores.

Tampouco adiantava desaparecer: as pessoas entenderiam tal gesto como um retiro ao deserto, uma ascensão aos céus, uma viagem ao encontro de mestres secretos que vivem no Himalaia, e ficariam sempre esperando sua volta. As lendas cresceriam ao seu redor, e possivelmente seria formado um culto em torno de sua pessoa. Começamos a notar isso quando ela deixou de freqüentar Portobello; meus informantes diziam que, ao contrário do que todo mundo pensava, seu culto estava aumentando de maneira assustadora: outros grupos semelhantes começaram a ser criados, pessoas apareciam como "herdeiras" de Hagia Sofia, sua foto publicada no jornal, com o menino nos braços, era vendida de maneira secreta, mostrando-a como uma vítima, uma mártir da intolerância. Ocultistas começaram a falar de uma "Ordem de Athena", onde se conseguia – depois de algum pagamento – um contato com a fundadora.

Portanto, só restava a "morte". Mas em circunstâncias absolutamente normais, como qualquer pessoa que termina encontrando o fim dos seus dias nas mãos de um assassino em uma grande cidade. Isso nos obrigava a uma série de precauções:

A] o crime não poderia estar associado ao martírio por razões religiosas, porque a situação que estávamos tentando evitar seria agravada;

B] a vítima deveria estar em condições que não pudesse ser reconhecida;

C] o assassino não poderia ser preso;

D] precisaríamos de um cadáver.

Em uma cidade como Londres, todos os dias temos gente morta, des-figurada, queimada — mas normalmente terminamos por prender o cri-minoso. De modo que foi preciso esperar quase dois meses até o ocor-rido em Hampstead. Também neste caso terminamos por encontrar o assassino, mas ele estava morto — viajara para Portugal e se suicida-ra com um tiro na boca. A justiça estava feita, e tudo que eu precisa-va era um pouco de cooperação de amigos mais próximos. Uma mão lava a outra, eles às vezes me pedem coisas que também não são mui-to ortodoxas, e desde que nenhuma lei importante seja quebrada, exis-te — digamos — uma certa flexibilidade de interpretação.

Foi o que ocorreu. Assim que o cadáver foi descoberto, fui designa-do junto com um companheiro de muitos anos para acompanhar o ca-so, e tivemos a notícia — quase simultânea — de que a polícia portu-guesa havia descoberto o corpo de um suicida em Guimarães, junto com um bilhete onde confessava um assassinato com os detalhes que cor-respondiam ao caso que tínhamos em mãos, e dava instruções para a distribuição de sua herança a instituições de caridade. Havia sido um crime passional — enfim, o amor com muita freqüência termina aca-bando nisso.

No bilhete que havia deixado, o morto dizia ainda que ele trouxe-ra a mulher de uma ex-república da União Soviética, fizera tudo que fora possível para ajudá-la. Estava pronto a casar-se com ela de mo-do que tivesse todos os direitos de um cidadão inglês, e terminara des-cobrindo uma carta que estava prestes a enviar a um alemão que a con-vidara para passar alguns dias em seu castelo.

Nesta carta, dizia que estava louca para partir, e que ele enviasse logo a passagem de avião, de modo que pudessem se encontrar o mais breve possível. Tinham se encontrado em um café londrino, e haviam trocado apenas duas correspondências, nada mais que isso.

Estava diante do quadro perfeito.

Meu amigo vacilou um pouco — ninguém gosta de ter um crime não resolvido em sua ficha —, mas eu terminei dizendo que assumiria a cul-pa, e ele concordou.

Fui até onde Athena se encontrava – uma simpática casa em Oxford. Com uma seringa, colhi um pouco de seu sangue. Cortei pedaços de seus cabelos, queimei-os um pouco, mas não completamente. De volta à cena do crime, espalhei as "provas". Como sabia que o exame de DNA seria impossível, já que ninguém sabia quem era sua mãe ou seu pai verdadeiros, tudo que precisava agora era cruzar os dedos, e esperar que a notícia não tivesse muita repercussão na imprensa.

Alguns jornalistas apareceram. Contei a história do suicídio do assassino, mencionando apenas o país, sem precisar a cidade. Disse que não fora encontrada nenhuma razão para o crime, mas que estava descartada completamente a hipótese de vingança ou de motivos religiosos; no meu entender (afinal, os policiais têm o direito de errar), a vítima havia sido violentada. Como deve ter reconhecido seu agressor, terminou sendo morta e desfigurada.

Se o alemão voltou a escrever, suas cartas devem ter retornado com o sinal de "destinatário ausente". A foto de Athena aparecera apenas uma vez no jornal, durante o primeiro confronto em Portobello, de modo que as chances de ser reconhecida eram mínimas. Além de mim, apenas três pessoas sabem da história: seus pais e seu filho. Todos nós comparecemos ao "enterro" de seus restos, e a sepultura tem uma lápide com seu nome.

O menino vem visitá-la todos os finais de semana, e está com uma brilhante carreira na escola.

Claro, um dia Athena pode cansar-se desta vida isolada, e decidir voltar a Londres. Mesmo assim, a memória das pessoas é curta e, exceto pelos seus amigos mais íntimos, ninguém se lembrará dela. A esta altura, Andrea será o elemento catalisador e – justiça seja feita – tem muito mais capacidade que Athena para continuar a tal missão. Além de possuir os dons necessários, é uma atriz – sabe como lidar com o público.

Ouvi dizer que seu trabalho tem crescido significativamente, sem chamar atenção desnecessária. Escuto histórias de gente em posições-chave na sociedade que está em contato com ela, e, quando for necessário, quando atingirem uma massa crítica suficiente, terminarão por acabar com toda a hipocrisia dos reverendos Ian Buck da vida.

E é isso que Athena deseja; não sua projeção pessoal, como muitos pensavam (inclusive Andrea), mas que a missão seja cumprida.

No início de minhas investigações que resultaram neste manuscrito, pensava que estava levantando sua vida para que soubesse o quanto foi corajosa e importante. Mas, à medida que as conversas prosseguiam, eu ia descobrindo também a minha parte oculta – embora não acredite muito nestas coisas. E chegava à conclusão de que a razão principal de todo este trabalhão era responder a uma pergunta que nunca soube explicar: por que Athena me amava, se somos tão diferentes, e não dividimos a mesma visão de mundo?

Lembro-me de quando lhe dei o primeiro beijo, em um bar ao lado de Victoria Station. Ela trabalhava em um banco, eu já era um detetive da Scotland Yard. Depois de alguns dias saindo juntos, convidou-me para dançar na casa do proprietário do seu apartamento, coisa que jamais aceitei – não condiz com meu estilo.

E em vez de irritar-se, respondeu apenas que respeitava minha decisão. Relendo os depoimentos que me deram seus amigos, fico realmente orgulhoso; Athena parecia não respeitar a decisão de mais ninguém.

Meses depois, antes de partir para Dubai, eu disse que a amava. Ela respondeu que sentia a mesma coisa – embora, acrescentou, devêssemos nos educar para longos momentos de separação. Cada um trabalharia em um país diferente, mas o verdadeiro amor pode resistir à distância.

Foi a única vez que ousei perguntar-lhe: "Por que me ama?".

Ela respondeu: "Não sei e não tenho o menor interesse em saber".

Agora, ao concluir todas estas páginas, acho que encontrei a resposta na sua conversa com o tal jornalista.

O amor é.

25/2/2006 19:47:00
Terminada a revisão no dia de Santo Expedito, 2006

Este livro foi composto em Baskerville
para a Editora Planeta do Brasil
em agosto de 2006.